GERMAN ONCE A WEEK

BOOK II

By

H. EICHINGER

M. GRINVALDS

E. BARTON

General Editor: P. H. HARGREAVES, B.A., F.I.L.

BASIL BLACKWELL · OXFORD

0 631 96280 8

Printed and bound in Great Britain by
Billing and Sons Limited, Worcester

AUTHORS' FOREWORD

THIS book carries on the work begun in *German Once a Week* (Book I). The total number of words used in both volumes is 1660 of which 850 were used in Book I. The vocabulary demands, therefore, are reduced to a minimum, leaving the student free to concentrate on basic grammar and sentence manipulation.

The Grammar Notes have again been kept as simple as possible. Although this book is a continuation of Book I, it can also be used as a revision course.

Both Book I and Book II have been constructed on the same principles as *French Once a Week*, Books I & II, in the same series.

CONTENTS

v

LEKTION I

FERIEN IN BAYERN

KLAUS und Hannelore verbringen mit ihren Eltern die Sommerferien in Bayern. Sie bleiben vierzehn Tage in einer sehr guten Pension an einem bayrischen See. Bis jetzt war das Wetter sehr gut; manchmal war es sogar zu heiss. Aber heute regnete es den ganzen Nachmittag. Das gefiel den Kindern nicht, denn in den Ferien braucht man schönes Wetter.

Gewöhnlich stehen sie um 8 Uhr auf und frühstücken um $\frac{1}{2}$9. Nach dem Frühstück geht die Familie an den Strand und verbringt dort den ganzen Vormittag. Herr und Frau Winter liegen gern im Sand, lesen die Morgenzeitung und plaudern miteinander. Klaus und Hannelore spielen entweder Ball oder fahren mit einem Ruderboot auf dem See. Manchmal angelt Klaus, aber er hat kein Glück, die Fische beissen nicht an. Um zwölf Uhr muss die Familie zur Pension zurückkehren. Das Mittagessen ist dann fertig. Nach dem Mittagessen sitzen sie gewöhnlich im Garten und besprechen ihre Pläne für den Nachmittag. Am Nachmittag haben sie mehr Zeit, denn sie müssen erst um 7 Uhr zum Abendessen zurück sein.

Jeden Tag tun sie etwas anderes. Gestern machten sie einen Ausflug in die Berge. Klaus und Hannelore stiegen auf einen Gipfel, aber Herr und Frau Winter machten nur einen Spaziergang im Tal. Sie warteten in einem Gasthaus auf ihre Kinder.

Morgen wollen sie nach Salzburg fahren. Salzburg ist in Österreich, ganz nahe an der deutschen Grenze. Herr Winter will Mozarts Geburtshaus besuchen, denn er hat Mozart und seine Musik sehr gern, und Klaus möchte die alte Festung sehen.

Wenn das Wetter schön bleibt, möchte die Familie mit dem Wagen einen Ausflug nach Italien machen. Italien ist nicht sehr weit von Bayern. Solche Ausflüge sind sehr schön, aber leider ziemlich teuer. Herr Winter gibt aber das Geld gern aus, um seinen Kindern eine Freude zu bereiten.

Leider vergeht die Zeit viel zu schnell, und der Urlaub ist
bald zu Ende. Man muss nach Hause zurückkehren, und dann
beginnt wieder der Alltag.

ZUM LERNEN

Freude bereiten	to give pleasure
auf einen Berg steigen	to climb a mountain
Der Urlaub ist zu Ende.	The holiday is over (finished).
warten auf	to wait for somebody or something (preposition *auf* with the accusative)
Sie warten auf ihre Kinder.	They are waiting for their children.
Ich warte auf den Zug.	I am waiting for the train.
Er möchte die alte Festung sehen.	He would like to see the old fortress.
Er nimmt ein Sonnenbad.	He sunbathes.

GRAMMATIK

1. Expressions of time.

(*a*) with the dative:

am Morgen, am Abend, am Vormittag, am Nachmittag.

Note: in der Nacht.

(*b*) with the accusative:

jeden Tag	every day
jeden Morgen	every morning
letzten Sonntag	last Sunday
letzte Woche	last week
letztes Jahr	last year
nächstes Jahr	next year

2. The indefinite pronoun: man

man braucht	one needs, it is needed
man klopft, schreit	there is a knock, a shout
man spricht viel davon	there is much said about it.

3. Word order: direct and indirect objects

1. Der Vater gibt seiner Tochter ein Geschenk.
2. Der Vater gibt ihr ein Geschenk.
3. Der Vater gibt es seiner Tochter.
4. Der Vater gibt es ihr.

If both objects are nouns the indirect object (dative) precedes the direct (accusative).
If one of the objects is a pronoun the pronoun precedes the noun.
If both objects are pronouns the accusative precedes the dative.

AUFGABEN

1. **Beantworten Sie folgende Fragen:**
   (1) Wo verbrachten Klaus und Hannelore ihre Sommerferien?
   (2) Mit wem verbrachten sie ihre Sommerferien?
   (3) Um wieviel Uhr stand die Familie auf?
   (4) Wohin ging die ganze Familie gewöhnlich nach dem Frühstück?
   (5) Was machten Herr und Frau Winter am Strand?
   (6) Was machten die Kinder am Vormittag?
   (7) Um wieviel Uhr war das Mittagessen in der Pension fertig?
   (8) Um wieviel Uhr musste man zum Abendessen zurück sein?
   (9) Wer stieg auf einen Gipfel?
   (10) Wer machte einen Spaziergang im Tal?
   (11) Wo warteten die Eltern auf ihre Kinder?
   (12) Wo ist Salzburg?
   (13) Was wollte Klaus in Salzburg sehen?
   (14) Was wollte Herr Winter in Salzburg besuchen?

2. **Lesen Sie Aufgabe 6 im Imperfekt**

3. **Ergänzen Sie:**
   (1) D.... ganz.... Familie verbrachte d.... Ferien in Bayern.

(2) Nach d.... Frühstück machten wir ei.... lang....
Spaziergang.

(3) Nach d.... lang.... Spaziergang kamen wir zu d....
gemütlich.... Pension zurück.

(4) Mei.... Sohn fuhr mit ei.... neu.... Ruderboot auf
d.... klar.... See.

(5) D... froh.... Kinder liefen an d.... Strand.

(6) Sie fuhren jed.... Tag in d.... Stadt.

(7) Mei.... jung.... Freunde stiegen auf ei.... Berg.

(8) D.... schön.... Stadt Salzburg liegt an d.... deutsch
.... Grenze.

(9) D.... klein.... Junge wartete auf sei.... gross....
Bruder.

(10) Wir sassen d.... ganz.... Nachmittag in d.... alt
.... Garten.

4. **Arrange each group of words in a sentence:**

(1) fahre Stadt Tag die jeden ich in.

(2) wartet Freund auf mein lange Schwester schon seine.

(3) gemütlichen essen einem in Mittag zu Gasthaus wir.

(4) fuhren Mozarts und nach wir Geburtshaus Salsburg besuchten.

(5) verbrachten unsere in kleinen in Stadt Ferien Österreich wir einer.

5. **Replace in the sentences below:**

(a) the dative object by a pronoun,

(b) the accusative object by a pronoun,

(c) the dative and accusative objects by pronouns:

Herr Müller gibt seiner Frau eine Schachtel Pralinen.

Der Kellner bringt dem Gast das Mittagessen.

Frau Winter bietet ihrer Freundin ein Stück Torte an.

6. **Übersetzen Sie ins Englische:**

Jedes Jahr verbringe ich meinen Urlaub an der See. Am
Morgen bade ich, aber ich schwimme nicht sehr weit. Ich bin
kein guter Schwimmer. Nach dem Bad liege ich im Sand und

nehme ein Sonnenbad. Vor dem Mittagessen trinke ich gern ein Glas Bier. Nach einem kurzen Spaziergang esse ich in einem guten Restaurant zu Mittag. Am Nachmittag mache ich einen Ausflug oder steige auf einen Berg. Am Abend bin ich müde, aber ich gehe auch gern aus und tanze.

7. Schreiben Sie einen kurzen Aufsatz (ungefähr 50 Worte) : Meine letzten Sommerferien.

LEKTION 2

EIN THEATERBESUCH

An einem Wochenende besuchte Fräulein Koller ihre alte Schulfreundin Frau Winter in Frankfurt. Sie kam am Freitagnachmittag mit dem Schnellzug aus Hamburg an. Sie wollte schon lange ihre Freundin besuchen, aber wegen der schweren Krankheit ihres Vaters konnte sie das Haus nicht früher verlassen.

Herr Winter wollte dieses Wiedersehen feiern, und er lud die beiden Damen ins Theater ein. Sie nahmen die Einladung freudig an. Herr Winter fragte:

„Wohin wollt ihr gehen? Im Schauspielhaus spielt man das Lustspiel ‚Frauen sind doch bessere Diplomaten‘, und im Opernhaus gibt man Mozarts ‚Zauberflöte‘.“

Die Freundinnen wollten das Lustspiel sehen, um einmal recht herzlich zu lachen. Herr Winter rief gleich die Theaterkasse an und bestellte drei Plätze im Parkett.

Am Abend regnete es, und wegen des schlechten Wetters mussten sie ein Taxi nehmen, denn Herrn Winters Wagen war leider in Reparatur. Herr Winter ging zur Kasse und holte die Karten ab. Am Eingang des Zuschauerraums mussten sie ihre Eintrittskarten vorweisen. Ihre Plätze waren in der vierten Reihe. Ein junges Mädchen kam zu ihnen und bot ihnen ein Programm an. Nach einigen Minuten ging der Vorhang auf, und das Lustspiel begann. Es war wirklich ein sehr lustiges Stück, und die Zuschauer lachten und klatschten oft Beifall. Am Ende des zweiten Aktes gingen beide Damen und Herr Winter zum Büfett. Herr Winter bestellte drei Tassen Kaffee. Unsere Freunde tranken den Kaffee und betrachteten die Abendkleider der Damen. Am Ende der Pause ging das Publikum wieder in den Zuschauerraum zurück, und der dritte Akt begann. Die Schauspieler spielten noch besser, die Zuschauer lachten noch mehr, und das Ende des

letzten Aktes brachte eine grosse Überraschung für alle Zuschauer. Das Publikum klatschte stürmischen Beifall, der Vorhang ging wieder auf, und alle Schauspieler kamen auf die Bühne und dankten für den Beifall. Am Ausgang des Theaters standen viele Taxis. Es regnete noch immer, und unsere Freunde nahmen wieder ein Taxi, um nach Hause zu fahren. Sie waren bald zu Hause. Hannelore wartete schon mit dem Abendessen und fragte:
„Wie gefiel euch das Lustspiel?"
„Danke, sehr gut, Hannelore. Wir hatten trotz des schlechten Wetters einen sehr angenehmen Abend."

ZUM LERNEN

Das Publikum klatschte oft Beifall. The audience often applauded.

GRAMMATIK

1. The genitive case

The genitive case is used to indicate possession. The German genitive corresponds to the English possessive form in 's (my brother's house) and also expresses the English "of the, of a", etc.

The genitive form of the definite article is **des** for the masculine and neuter, and **der** for the feminine.

Singular

Masculine

Gen.	des Vaters	of the father
	eines Vaters	of a father
	meines Vaters	of my father

Feminine	*Neuter*
Gen. der Tochter	des Kindes
einer Tochter	eines Kindes
meiner Tochter	meines Kindes

The above examples show that masculine and neuter nouns add **s** or **es** in the genitive case. Most nouns of one syllable and those ending in **s**, **ss**, **sch**, and **z** take the ending **es**. Feminine nouns do not add s in the genitive.

Examples:

der Preis **des** Tisch**es**	the price *of the* table
das Abendkleid **der** Dame	the evening dress *of the* lady
das Fenster **des** Abteil**s**	the window *of the* compartment

Plural

Gen.	**der** Väter	**der** Töchter	**der** Kinder
	of the fathers	*of the* daughters	*of the* children

Note that the Saxon genitive is also used in German for names of persons but **without the apostrophe**.

Example:

Frau Winters Haus   Mrs. Winter's house.

Some masculine nouns take the ending **n** instead of *s* or *es*. The most frequently used are: der Herr, der Junge, der Knabe, der Beamte and others.

	Singular		*Plural*	
Nom.	der Herr	der Knabe	die Herren	die Knaben
Acc.	den Herrn	den Knaben	die Herren	die Knaben
Gen.	des Herrn	des Knaben	der Herren	der Knaben
Dat.	dem Herrn	dem Knaben	den Herren	den Knaben

2. Declension of the definite article

Singular

Nom.	**der** Bruder	**die** Frau	**das** Haus
Acc.	**den** Bruder	**die** Frau	**das** Haus
Gen.	**des** Bruders	**der** Frau	**des** Hauses
Dat.	**dem** Bruder	**der** Frau	**dem** Haus(e)

Plural

Nom.	**die** Brüder	**die** Frauen	**die** Häuser
Acc.	**die** Brüder	**die** Frauen	**die** Häuser
Gen.	**der** Brüder	**der** Frauen	**der** Häuser
Dat.	**den** Brüdern	**den** Frauen	**den** Häusern

3. Declension of the adjective preceded by the definite article

Singular

Masculine

Nom. der lange Brief
Acc. den langen Brief
Gen. des langen Briefes
Dat. dem langen Brief

	Feminine	*Neuter*
Nom.	die kleine Tür	das schöne Land
Acc.	die kleine Tür	das schöne Land
Gen.	der kleinen Tür	des schönen Landes
Dat.	der kleinen Tür	dem schönen Land(e)

Plural

Masculine

Nom. die langen Briefe
Acc. die langen Briefe
Gen. der langen Briefe
Dat. den langen Briefen

	Feminine	*Neuter*
Nom.	die kleinen Türen	die schönen Länder
Acc.	die kleinen Türen	die schönen Länder
Gen.	der kleinen Türen	der schönen Länder
Dat.	den kleinen Türen	den schönen Ländern

4. Prepositions with the genitive case: während, wegen, trotz.

Examples:

Trotz **der** vielen Arbeit war er nicht müde.
Wegen **des** schlechten Wetters konnten wir keinen Ausflug machen.
Während **des** Sommers regnete es oft.

AUFGABEN

wessen? = *whose?*

1. Beantworten Sie folgende Fragen:

(1) Wessen Freundin ist Fräulein Koller?
(2) Wo wohnt sie?
(3) Wann kam sie in Frankfurt an?
(4) Warum konnte sie das Haus nicht früher verlassen?
(5) Was wollte Herr Winter tun, um das Wiedersehen zu feiern?
(6) Was spielte man im Schauspielhaus?
(7) Was gab man im Opernhaus?
(8) Wie bestellte Herr Winter die Plätze?
(9) Wie war das Wetter am Abend?
(10) Wo musste man die Eintrittskarten vorweisen?
(11) Wann klatschten die Zuschauer Beifall?
(12) Was machten Herr und Frau Winter und ihr Gast nach dem zweiten Akt?
(13) Was taten die Schauspieler nach dem Lustspiel?
(14) Wer wartete zu Hause mit dem Abendessen?

2. Ergänzen Sie:

(1) . . . . Abend regnete es oft.
(2) . . . . des Sommers machten wir oft Ausflüge.
(3) . . . . des schlechten Wetters konnte Klaus keinen Ausflug machen.
(4) Mein Freund fuhr . . . . dem Schnellzug.
(5) . . . . Ende des dritten Aktes ging der Vorhang wieder auf.
(6) Das war eine Überraschung . . . . alle.
(7) Die Schauspieler kamen . . . . die Bühne und dankten . . . . den Beifall.
(8) Herr Winter ging . . . . den Damen . . . . Büfett.
(9) Meine Freundin ist nicht . . . . Hause.
(10) Kinder geht schnell . . . . Hause!

3. Geben Sie den Genitiv von:

der unartige Junge, die junge Frau,
das nette Mädchen, der gute Wagen,
das alte Radio, die reife Aprikose,
das neue Haus, die rote Rose,
der alte Grossvater.

4. Ergänzen Sie:

(1) Die Uhr mei . . . . Grossvater . . . . ist alt.

(2) Das Abteil d . . . . Schnellzug . . . . war sehr modern.

(3) Der Preis d . . . . neu . . . . Haus . . . . war zu hoch.

(4) Am Ende d . . . . erst . . . . Akt . . . . gingen wir nach Hause.

(5) Die Mütze d . . . . blond . . . . Knabe . . . . war grün.

(6) Die weiss . . . . Bluse d . . . . Mädchen . . . . ist sehr schön.

(7) Die Handtasche d . . . . jung . . . . Dame war blau.

(8) Ei . . . . alt . . . . Freundin mei . . . . Mutter besuchte uns letzten Sonntag

5. Übersetzen Sie ins Englische:

Am Ende des Sommers fuhren wir nach Deutschland. Die Tochter meiner Freundin kam auch mit. Während der ersten Woche regnete es oft, aber trotz des schlechten Wetters besuchten wir Köln. Die Leute dieser grossen Stadt waren zu uns sehr freundlich. Wegen des schlechten Wetters konnten wir leider keine Dampferfahrt auf dem Rhein machen. Wir besichtigten auch den Dom. Während der zweiten Woche war das Wetter schön, und wir machten viele Ausflüge.

LEKTION 3

IM RESTAURANT

Am nächsten Morgen nach dem Theaterbesuch sind alle guter Laune. Herr und Frau Winter und Fräulein Koller freuen sich noch immer über den angenehmen Abend im Theater. Herr Winter will seiner Familie und der Freundin seiner Frau wieder eine Freude machen. Er führt sie alle in ein sehr gutes Restaurant zum Mittagessen. Hannelore freut sich besonders darauf. Sie läuft in den Garten, denn sie muss ihrem Bruder ihre Freude mitteilen. Sie ruft:

„O Klaus, ich freue mich so, wir dürfen mitkommen!"
„Wohin mitkommen?"
„Vati führt uns alle in ein Restaurant zum Mittagessen!"
„O das ist fein!"

„Mach schnell, Klaus, geh ins Haus, wasche dich gründlich und kleide dich um! Du darfst vielleicht deinen neuen Anzug anziehen!"

Um 1 Uhr sind alle zum Gehen fertig. Der Wagen steht schon vor dem Haus, und sie fahren in die Stadt. Sie halten vor einem grossen Hotel, steigen aus und gehen in den Speisesaal. Viele Tische sind schon besetzt. Der Oberkellner kommt auf sie zu (er kennt Herrn Winter gut) und führt sie zu einem freien Tisch in der Nähe der Musikkapelle. Herr Winter setzt sich zwischen die beiden Damen, und Klaus setzt sich neben seine Schwester.
Der Ober bringt die Speisekarten. Nach einer kurzen Weile fragt Herr Winter:

„Fräulein Koller, was wünschen Sie zu essen?"

„Ich möchte, wenn ich darf, mit einer echten Schildkrötensuppe anfangen, nachher eine 'Forelle blau' mit Butter, Salzkartoffeln und Kopfsalat und als Nachspeise Obsttorte."

Frau Winter wählt dasselbe, aber sie möchte Apfelstrudel anstatt Obsttorte haben.

Der Ober kommt und fragt:

„Was darf es sein, mein Herr?"

Zuerst bestellt Herr Winter das Essen für die Damen. Für die Kinder und für sich selbst bestellt er Ochsenschwanzsuppe, Brathuhn mit Butterreis und Kopfsalat, als Nachspeise Eiskaffee. Hannelore sagt:

„Vati, ich mag keinen Eiskaffee, darf ich Eis mit Schlagsahne haben?"

„Nun gut, Herr Ober, zweimal Eiskaffee und einmal Eis mit Sahne."

Eine Kellnerin bringt die Suppen und wünscht den Gästen guten Appetit. Nachher bringt ein Kellner das Brathuhn und die Forelle. Hannelore wundert sich: *Suprised*

„Mutti, du hast die falsche Forelle, diese ist nicht blau!"

Die Mutter lacht:

„Du dummes Mädchen! Eine gedünstete Forelle heisst ,Forelle blau'."

Inzwischen bestellt Herr Winter eine Flasche Wein. Nach dem Dessert trinken alle eine Tasse Kaffee; die Damen rauchen Zigaretten, und Herr Winter raucht eine Zigarre.

Nach dem Mittagessen müssen sie bald das Restaurant verlassen. Fräulein Koller muss um 15.10 Uhr mit dem Schnellzug nach Hamburg zurückkehren. Die Familie Winter begleitet sie zum Bahnhof.

ZUM LERNEN

Sie sind guter Laune.	They are in good mood.
Sie sind zum Gehen fertig.	They are ready to go.
Sie freut sich darauf.	She is looking forward to it.
Zu Mittag essen.	To have lunch.
Er kommt auf sie zu.	He comes up to them. *acc*
In der Nähe der Musikkapelle.	Near the band.

Was darf es sein?   What may I serve?
Ich möchte gern eine Tasse   I should like to have a cup of
    Kaffee trinken   coffee.
Nach einer kurzen Weile.   After a short while.
Mach schnell!   Hurry up!

GRAMMATIK

1. Modal verbs:

dürfen to be allowed, permitted, may	mögen to like, may (possibility)

Present Tense

ich darf	ich mag
du darfst	du magst
er darf	er mag
sie darf	sie mag
es darf	es mag
wir dürfen	wir mögen
ihr dürft	ihr mögt
Sie dürfen	Sie mögen
sie dürfen	sie mögen

Imperfect

ich durfte	ich mochte
du durftest	du mochtest
er durfte	er mochte
sie durfte	sie mochte
es durfte	es mochte
wir durften	wir mochten
ihr durftet	ihr mochtet
Sie durften	Sie mochten
sie durften	sie mochten

Examples:

Darf ich hier rauchen?   May I smoke here?
Die Kinder dürfen mit   The children are allowed to go
den Eltern ins Restau-   with their parents to the restaurant gehen.   rant.

Was darf ich Ihnen anbieten?	What may I offer you?
Er mag die Suppe nicht.	He does not like the soup.
Sie mögen dieses Lustspiel nicht.	They do not like this comedy.
Es mag sein (possibility).	It may be (possibility).

1. The reflexive verbs

The reflexive verbs are more often used in German than they are in English.

Present	*Imperfect*
ich freue mich	ich freute mich
du freust dich	du freutest dich
er freut sich	er freute sich
sie freut sich	sie freute sich
es freut sich	es freute sich
wir freuen uns	wir freuten uns
ihr freut euch	ihr freutet euch
Sie freuen sich	Sie freuten sich
sie freuen sich	sie freuten sich

Examples

Er freut sich über das neue Buch (accusative).
He is pleased about the new book.
Die Kinder freuen sich auf die Ferien (accusative).
The children are looking forward to the holidays.

AUFGABEN

1. Beantworten Sie folgende Fragen:

(1) Wem will Herr Winter eine Freude machen?
(2) Wohin führt Herr Winter seine Familie und die Freundin seiner Frau?
(3) Wer freut sich darauf?
(4) Wer wäscht sich und kleidet sich um?
(5) Wo sitzen unsere Freunde im Restaurant?
(6) Wer bringt die Speisekarten?
(7) Wer mag keinen Eiskaffee?

(8) Essen Sie oft in einem Restaurant?
(9) Mögen Sie gern Ochsenschwanzsuppe?
(10) Bestellen Sie nach dem Essen Kaffee?

2. **Konjugieren Sie die folgenden Verben im Präsens und Imperfekt:**

sich waschen, sich umkleiden, sich setzen.

3. **Geben Sie die richtige Form des Verbes:**

(1) Wir (sich waschen) am Morgen.
(2) Er (sich umkleiden) nach der Arbeit.
(3) (Dürfen) ich Ihnen diesen Platz anbieten?
(4) Er (sich freuen) auf die Reise.
(5) Ihr (sich freuen) über den Besuch.
(6) Wir (mögen) keine unartigen Kinder.
(7) Seine Tochter (dürfen) ins Theater mitgehen.
(8) Mein alter Onkel (mögen) kein Bier.
(9) Kinder, ihr (dürfen) morgen ins Kino gehen!
(10) Hannelore (sich setzen) in die Ecke.
(11) Wir (sich setzen) an den Tisch.
(12) Die kleinen Kinder (dürfen) im Park spielen.

4. **Arrange each group of words in a sentence:**

(1) nach Hotel dem müssen Mittagessen verlassen sie das.
(2) will Herr Winter Frau machen seiner Freude eine.
(3) Tisch einen sucht Herr Winter aber, besetzt alle Tische sind.
(4) in gehe zum sonntags ein gern Mittagessen ich Restaurant.
(5) Wetter freue das mich schöne ich über.
(6) und ins wasche Badezimmer gehe dich!

5. **Übersetzen Sie ins Englische:**

Letzten Sonntag machten mein Freund Karl und ich einen Spaziergang. Wir kamen zu einem Park und setzten uns dort auf eine Bank. Die Sonne schien die ganze Zeit, und wir freuten uns über das schöne Wetter. Um 18 Uhr kehrten wir in die Stadt zurück und gingen in ein Restaurant. Der Ober brachte die Speisekarte, und Karl bestellte für uns Gemüsesuppe, Beefsteak mit Salzkartoffeln und Kopfsalat. Ich mochte keine Nachspeise, aber Karl bestellte sich ein Eis mit Sahne. Das Abendessen schmeckte uns sehr gut. Nachher gingen wir ins Kino und sahen dort einen sehr guten Film.

LEKTION 4

DER HERBST

Das Jahr hat vier Jahreszeiten. Sie heissen Frühling, Sommer, Herbst und Winter. Aber heute wollen wir nur vom Herbst sprechen.

Im Frühherbst ist gewöhnlich das Wetter noch sehr angenehm, ziemlich mild und trocken. An Wochenenden wollen viele Leute noch das schöne, sonnige Wetter geniessen und die prächtigen Herbstfarben bewundern. Sie machen lange Spaziergänge durch Wiesen und Wälder. Manche Leute machen mit ihrem Wagen Ausflüge durch die herbstliche Landschaft.

Aber das schöne Wetter wird nicht mehr lange dauern. Die Blätter werden von den Bäumen fallen, das grüne Gras wird gelb werden, und die Landschaft wird öde sein. Die Schwalben werden nach dem sonnigen Süden fliegen und erst im Frühjahr wieder zurückkehren.

Ende Oktober wird es bereits kälter. Die Gärtner werden ihre letzte Arbeit im Garten machen, und die Bauern werden die Kartoffelernte einbringen.

Die kleinen Kinder werden bereits an Weihnachten denken und an den Weihnachtsmann einen Brief schreiben. Die Eltern müssen dann zu sparen beginnen, um die Wünsche der Kinder zu erfüllen.

Die Wintersportler werden von ihrem Winterurlaub sprechen, und manche werden bereits ein Hotelzimmer in den Alpen bestellen. Der Wintersport ist in Deutschland sehr beliebt.

Im November wird es bereits auf den Bergen und in den Tälern schneien, aber der Schnee wird noch nicht überall liegen bleiben. Die Leute werden nicht so oft wie im Frühling und Sommer ausgehen. Sie werden in ihren warmen, gemütlichen Heimen sitzen und lesen, Radio hören oder fernsehen. Manchmal werden sie am Abend Besuch bekommen und dann Karten oder Schach spielen. Andere Leute werden nur Kaffee

trinken und miteinander plaudern. Aber die jungen Leute werden nicht gern zu Hause bleiben. Sie werden vielleicht die langen Abende in einem Kino oder in einem Tanzsaal verbringen. Die Tage werden allmählich kürzer werden, und bald wird der kalte Winter kommen. *gradually*
Aber vom Winter werden wir ein anderes Mal sprechen.

GRAMMATIK

1. Werden to become

Present	*Imperfect*
ich werde	ich wurde
du wirst	du wurdest
er wird	er wurde
sie wird	sie wurde
es wird	es wurde
wir werden	wir wurden
ihr werdet	ihr wurdet
Sie werden	Sie wurden
sie werden	sie wurden

Examples:
   Im Herbst werden die Tage kürzer.
   Onkel Otto wurde in fünf Jahren reich.
   Alte Leute werden bald müde.

2. The Future tense
   ich werde fahren
   du wirst fahren
   er wird fahren
   sie wird fahren
   es wird fahren
   wir werden fahren
   ihr werdet fahren
   Sie werden fahren
   sie werden fahren

In German the future tense is formed by the present tense of *werden* and the infinitive.
The infinitive stands at the end of the sentence.

Examples:

Die jungen Leute werden nicht zu Hause bleiben.

Ich werde im Restaurant zu Mittag essen.

Mein Freund wird seinen Winterurlaub in den Alpen verbringen.

The present tense may be used for the future, if a word in the sentence implies the future.

Examples:

Morgen fahre ich nach London.

Onkel Karl kommt am Sonntag.

Nächste Woche sind wir in Köln.

AUFGABEN

1. Beantworten Sie folgende Fragen:

(1) Wie viele Jahreszeiten hat das Jahr und wie heissen sie?

(2) Wie ist das Wetter im Frühherbst?

(3) Was machen viele Leute im Frühherbst, um das schöne Wetter zu geniessen?

(4) Wohin fliegen die Schwalben im Herbst?

(5) Wo schneit es bereits im November?

(6) Wohin fahren die Wintersportler auf Winterurlaub?

(7) Ist der Wintersport in England beliebt?

(8) Was machen Sie an einem Herbstabend?

(9) Gefällt Ihnen immer das Fernsehprogramm?

(10) Gehen Sie oft tanzen oder ins Kino?

2. Schreiben Sie im Futurum:

(1) Ich treffe am Sonntag meinen Bruder.

(2) Er fährt im Sommer nach Deutschland.

(3) Die jungen Leute bleiben nicht zu Hause; sie gehen aus.

(4) Der Gärtner macht seine letzte Arbeit im Garten.

(5) Meine Familie fährt auf Winterurlaub nach Österreich.

(6) Mein Vater sitzt zu Hause und liest ein Buch.

(7) Unser Onkel ladet uns zu seinem Geburtstag ein.

(8) Karls Freund trinkt ein Glas Bier und raucht eine Zigarette.

(9) Im Winter gehen wir oft ins Theater.

(10) Wir sitzen im Garten und besprechen unsere Pläne für den Abend.

(11) Am Morgen steigen wir auf einen Berg und bleiben ~~dort~~ den ganzen Nachmittag. *dort*

(12) Unsere Freunde besuchen uns im Herbst, und wir zeigen ihnen das neue Opernhaus.

(13) Unsere neue Wohnung ist sehr gemütlich.

(14) Herr Schiller muss ein grosses, modernes Haus kaufen.

3. Ergänzen Sie:

(1) D .*e*.. klein *en*.. Kinder freuen sich auf d *en*. Ausflug.

(2) Ich mag dies *es*. hart *es*. Brathuhn nicht.

(3) Wir sassen in d *en*. Nähe d *er*. Musikkapelle.

(4) Sei *ne* Frau war gut *er*. Laune.

(5) Mei *ne*. neu *en*.. Freunde freuten sich auf d *as*. Lustspiel.

(6) Setzen Sie sich an d *en*. kleine *n*. Tisch!

(7) Letzten Samstag machten wir ei *nen*. lang *en*. Spaziergang.

(8) Am Ausgang d *es*. Theaters standen mei *ne*. neu *en*.. Freundinnen.

(9) Wir warten auf unser *e*. Kinder.

(10) Sie verbrachten d *en*. ganz *en*. Vormittag in d *em*. berühmt *en*.. Park.

(11) Nach d *em*. Theater tranken sie Kaffee in ei *nem*. gemütlich *en*.. Café.

4. Schreiben Sie Aufgabe 6, Lektion 1 im Imperfekt:

5. Übersetzen Sie ins Englische:

Nächsten Sonntag werden wir einen Ausflug machen. Wir werden früh aufstehen, schnell frühstücken und mit dem Zug nach Neudorf fahren. Wir werden ungefähr um

10 Uhr dort ankommen. Von dort aus werden wir mit dem
Omnibus nach Altheim fahren. Altheim liegt am Fusse
eines Berges, aber wir werden nicht auf den Berg steigen;
es ist im Tal auch sehr schön. Dort werden wir den ganzen
Tag bleiben, um nicht sehr müde zu werden. In einem
Gasthaus werden wir zu Mittag essen. Am Nachmittag
werden wir dann einen langen Spaziergang durch das Tal
machen. Hoffentlich werden wir im Tal schöne Blumen
finden und sie für unsere Mutter pflücken. Mit dem
Abendzug werden wir wieder nach Hause fahren und
werden um 9 Uhr zu Hause sein. *go home*
at home

LEKTION 5

Wiederholung

EINE REISE IN DEN SCHWARZWALD

Letzte Woche bekamen Klaus und Hannelore von ihrem Onkel und ihrer Tante aus Freudenstadt eine Einladung, das Wochenende bei ihnen zu verbringen. Beide Kinder freuten sich sehr über diese Einladung. Freudenstadt ist ungefähr 160 Kilometer südlich von Frankfurt und liegt im Herzen des Schwarzwaldes.

Hannelore bat ihren Vater:

„Vati, bitte dürfen wir Onkel Franz und Tante Maria am Wochenende besuchen?"

„Nun gut, da ihr beide in den letzten Wochen sehr fleissig wart, habe ich nichts dagegen," sagte der Vater.

Klaus lief sofort zu seiner Mutter und rief:

„Mutter, wir dürfen beide nach Freudenstadt fahren! O, ich freue mich so darauf! Wann dürfen wir fahren?" fragte er seine Mutter.

„Vater wird im Fahrplan nachsehen, vielleicht habt ihr am Freitagnachmittag nach der Schule einen Schnellzug. Onkel Franz wird euch bestimmt mit dem Wagen vom Bahnhof abholen. Aber seid auf der Reise vorsichtig!" erwiderte die Mutter.

Beide Kinder konnten während der Woche nicht gut schlafen, sie freuten sich schon auf nächsten Freitag. Endlich war der Tag da, und nach der Schule kamen sie schnell nach Hause, und packten ihre Koffer. Nach dem Mittagessen brachte der Vater sie zum Bahnhof. Der Schellzug fuhr um 15.53 Uhr von Frankfurt ab. Sie fuhren über Darmstadt, Mannheim und Karlsruhe. Um 19.22 Uhr kam der Zug in Freudenstadt an. Beide Kinder stiegen aus, und Onkel Franz begrüsste sie am Bahnsteig.

23

„Eure Tante freut sich sehr auf euren Besuch. Kommt, Kinder! Wir müssen gleich nach Hause fahren, das Abendessen wird fertig sein."

Sie fuhren mit dem Wagen durch Freudenstadt. Onkel Franz ist ~~ein~~ Bauer, er hat einen grossen Bauernhof ausserhalb Freudenstadt. Bald kamen sie auf dem Bauernhof an. Tante Maria kam zum Auto und begrüsste die Kinder. Hannelore nahm ihre Tante bei der Hand, Onkel Franz half Klaus die Koffer tragen. Sie gingen alle in die Küche und setzten sich an den Tisch. Tante Maria sagte:

„Zuerst müssen wir essen, sonst wird das Abendessen kalt. Aber nach dem Essen müsst ihr uns von der Reise erzählen. Morgen könnt ihr den ganzen Tag auf dem Bauernhof oder auf den Feldern verbringen. Die Luft ist hier sehr gesund; das wird euch Stadtkindern gut tun!"

Hannelore fragte ihre Tante:

„Tante Maria, hast du noch den Esel?"

„Ja natürlich," antwortete die Tante, „wir behalten ihn nur für dich. Du darfst morgen den ganzen Tag auf dem Esel reiten, und Klaus fährt morgen früh mit seinem Onkel zur Mühle."

„Onkel Franz, darf ich am Nachmittag dein Pferd reiten?" fragte Klaus.

„Ja, das darfst du tun," erwiderte der Onkel und lachte: „Aber jetzt müsst ihr zu Bett gehen, ihr werdet von der langen Reise müde sein, und ihr müsst morgen früh aufstehen."

„Ja, wir gehen gleich zu Bett," sagte Klaus, „aber bitte vergiss nicht, mich morgen früh zu wecken, ich möchte mit dir zur Mühle fahren!" Der Onkel lachte und sagte:

„Ich werde dich um 7 Uhr wecken."

Beide Kinder wünschten ihrem Onkel und ihrer Tante eine gute Nacht und gingen zu Bett.

ZUM LERNEN

Ich freue mich darauf.	I am looking forward to it.
nun gut	very well
bei der Hand nehmen	to take one's hand

zu Bett gehen   to go to bed
morgen früh   to-morrow morning
gute Nacht   good night

1. Beantworten Sie folgende Fragen:

(1) Von wem bekamen beide Kinder eine Einladung?
(2) Wo liegt Freudenstadt?
(3) Wo wohnt Onkel Franz und was hat er im Schwarzwald?
(4) Um wieviel Uhr fährt am Freitag der Zug nach Freudenstadt ab?
(5) Wer holt die Kinder vom Bahnhof ab?
(6) Wohin wird Klaus morgen früh mit seinem Onkel fahren?
(7) Was wird Hannelore am nächsten Tag tun?
(8) Um wieviel Uhr wird der Onkel Klaus wecken?

2. Fragen Sie einander:

(1) Machen Sie gern ihre deutschen Aufgaben?
(2) Finden Sie sie sehr schwer?
(3) Bleiben Sie am Wochenende zu Hause oder gehen Sie aus?
(4) Gehen Sie oft ins Theater oder in die Oper?
(5) Bestellen Sie die Karten vorher?
(6) Machen Sie oft am Sonntag einen Spaziergang oder einen Ausflug?
(7) Besuchen Sie oft Ihre Freunde? Wo wohnen Ihre Freunde?
(8) Um wieviel Uhr stehen Sie am Sonntag auf?

3. Schreiben Sie die folgende Aufgabe im Imperfekt und Futurum:

Dieses Jahr verbringen wir unsere Sommerferien an einem See in Österreich. Unser Hotel liegt ganz nahe am See. Von unserem Zimmer können wir die Schiffe und Boote sehen. Das Hotel ist sehr gemütlich, und das Essen schmeckt uns gut. Gewöhnlich stehen wir um 8 Uhr auf

und frühstücken um 9 Uhr. Dann machen wir einen
Spaziergang in die Stadt und kaufen eine englische
Zeitung. Nachher gehen wir an den Strand. Wir liegen
im Sand, schwimmen im See oder fahren mit einem
Ruderboot. Nach dem Mittagessen sitzen wir im Garten
und trinken ein Glas Bier oder Wein. Am Nachmittag
machen wir manchmal Ausflüge. Am Abend treffen wir
unsere Freunde und gehen tanzen. Leider ist unser Urlaub
bald zu Ende.

[handwritten annotations: machten, kauften, lagen, gingen, schwammen, fuhren, saßen, tranken, machten, trafen, gingen, war, sein (f)]

4. **Lesen Sie die obige Aufgabe in der „du" Form des
   Präsens, Imperfekts und Futurums.**

5. **Übersetzen Sie Aufgabe 3 ins Englische.**

6. **Arrange each group of words in a sentence:**

   (1) ganz neu der Wagen sehr modern und ist seines
       Onkels.

   (2) Onkel dürft Kinder euren ihr am Wochenende und
       besuchen Tante eure!

   (3) die Gemüsesuppe Mutter nicht mag ich!

   (4) eine Bank auf er sich setzte und Blumen die bewun-
       derte.

   (5) Ausflug Kinder einen machen München werden die
       nach.

LEKTION 6

EIN WOCHENENDE IM SCHWARZWALD

Klaus und Hannelore verbringen ein Wochenende bei ihrem
Onkel Franz und ihrer Tante Maria in Freudenstadt. Klaus,
der mit seinem Onkel zur Mühle fahren will, steht um 7 Uhr
auf. Hannelore steht auch früh auf. Um halb 8 Uhr frühstücken sie, und um 8 Uhr fährt Klaus mit seinem Onkel zur
Mühle. Sein Onkel, der den Traktor lenkt, zeigt ihm die
Felder, die zum Bauernhof gehören. Bald sind sie in der Mühle.
Onkel Franz und der Müller laden das Korn ab. Nachher
zeigt der Müller Klaus die Mühle. Klaus findet alles sehr
interessant, und der Müller gibt ihm etwas Mehl für seine
Mutter.

Nach dem Frühstück füttert Hannelore den Esel mit Karot-
ten. Dann reitet sie auf dem Esel. Um 10 Uhr reitet sie auf
den Bauernhof zurück. Ihr Onkel, der gerade mit ihrem
Bruder von der Mühle zurückkehrt, ruft:

„Hast du vom Reiten genug, Hannelore?"

„O nein, Onkel, ich muss doch um 10 Uhr zum Kaffee
zurückkommen, ich kann ja später wieder reiten."

Klaus ruft:

„Schau mal her, Hannelore, der Müller gab mir 2 Kilo
Mehl für unsere Mutter!"

„Sehr gut", erwidert Hannelore, „da kann sie uns einen
grossen Kuchen backen."

Beide Kinder sind sehr froh und gehen in die Küche.

Tante Maria, die bereits in der Küche ist, gibt jedem Kind
eine Tasse Kaffee und ein Stück Kuchen.

„Wollt ihr noch ein Stück Kuchen?" fragt Tante Maria.

„Ja bitte, dein Kuchen schmeckt sehr gut."

„Nun Kinder, ich will euch den Bauernhof zeigen!" sagt
Onkel Franz.

Nach dem Kaffee besichtigen die Kinder den Bauernhof
ihres Onkels. Zuerst gehen sie in den Stall, der im anderen
Teil des Bauernhauses ist.

„Ich habe zwei ganz junge Kälber hier," sagt der Onkel, „das Kalb, das dort im Stroh liegt, ist nur einen Tag alt. Die Kühe sind momentan auf der Wiese, aber ihr könnt sie später sehen."

„Onkel, wie viele Kühe hast du jetzt?" fragt Klaus.

„Zur Zeit habe ich zwanzig Kühe und acht Kälber. Ich habe auch sechs Schweine hier. Seht ihr das dicke Schwein, das dort am Boden liegt? Der Metzger holt es morgen ab, ich verkaufte es ihm gestern. Nun muss ich euch noch die Schafe zeigen, die mit den Kühen auf der Wiese weiden."

Sie verlassen den Stall und gehen auf die Wiese. Dort sehen sie die Kühe und auch die Schafe. Hannelore ruft:

„Schau, Klaus, siehst du das Lamm, das mit der Ziege spielt?"

„Ja, ich sehe es, Hannelore, wie nett!"

„Nun Kinder, das ist alles," sagt der Onkel.

„O nein, Onkel, du musst uns noch die Hühner zeigen!" sagt Hannelore.

„Nun gut, ich zeige euch noch schnell den Hühnerstall."

Sie gehen auf den Bauernhof zurück, und der Onkel zeigt ihnen den Hühnerstall.

„Kinder, vor dem Mittagessen dürft ihr noch reiten. Klaus, du kannst mein Pferd reiten und Hannelore kann den Esel nehmen. Aber um 1 Uhr müsst ihr zum Mittagessen hier sein."

Beide Kinder reiten zusammen in den Wald, der nicht weit vom Bauernhof ist, und freuen sich über die glücklichen Stunden, die sie bei ihrem Onkel und ihrer Tante verbringen dürfen.

ZUM LERNEN

Schau mal her!	Look here!
auf dem Weg zur Mühle	on the way to the mill
auf dem Lande wohnen	to live in the country
auf das Land fahren	to go into the country

GRAMMATIK

Relative pronouns:

The relative pronouns in the nominative singular are: **der, die, das.**

They always agree in gender and number with the noun for which they stand.

In relative sentences the verb stands last in the clause. This applies also to all subordinate clauses, but these will be dealt with in a later lesson.

Beispiele:

Der Onkel kommt von der Mühle zurück. Er geht in das Haus.

Der Onkel, der von der Mühle zurückkommt, geht in das Haus.

Die Tante ist in der Küche. Sie kocht das Mittagessen.

Die Tante, die in der Küche ist, kocht das Mittagessen.

Das Kalb liegt im Stroh. Es ist nur einen Tag alt.

Das Kalb, das im Stroh liegt, ist nur einen Tag alt.

In a subordinate clause the prefix of a separable verb is not separated.

The subordinate clauses are separated from the main clause by commas.

Note: *welcher, welche, welches* may be used instead of der, die, das.

AUFGABEN

1. Beantworten Sie folgende Fragen:

(1) Wo verbringen Klaus und Hannelore ein Wochenende?

(2) Um wieviel Uhr steht Klaus auf?

(3) Was sieht Klaus auf dem Weg zur Mühle?

(4) Was bekommt Klaus vom Müller?

(5) Was macht Hannelore nach dem Frühstück?

(6) Um wieviel Uhr trinkt man auf dem Bauernhof Kaffee?

(7) Was besichtigen die Kinder nach dem Kaffee?

(8) Welche Tiere sehen die Kinder auf dem Bauernhof und auf der Wiese?

(9) Was besichtigen sie zuletzt?

(10) Was machen sie nach dem Mittagessen?

2. Fragen Sie einander:

(1) Verbringen Sie auch manchmal ein Wochenende auf dem Lande?

(2) Stehen Sie dann früh auf?

(3) Sind Sie gern auf dem Lande? *Ich bin gern*

(4) Haben Sie Pferde gern?

(5) Reiten Sie gern?

(6) Machen Sie oft Ausflüge?

(7) Fahren Sie manchmal im Sommer an die See?

(8) Um wieviel Uhr stehen Sie sonntags auf?

3. Ergänzen Sie durch ein Relativpronomen:

(1) Die Ziege, *die* auf der Wiese weidet, gehört meinem Onkel.

(2) Die Mühle, *die* am Ende des Dorfes steht, ist sehr alt.

(3) Wie heisst der Mann, *der* auf dem Felde arbeitet?

(4) Die junge Dame, *die* am Ausgang des Theaters steht, ist meine Freundin.

(5) Der kleine Junge, *der* aus der Schule kommt, geht nicht gleich nach Hause; er wartet auf seine Schwester, *die* bald kommen wird.

(6) Der Brief, *der* auf dem Tisch liegt, ist nicht für mich.

(7) Das kleine Kind, *das* im Park weint, kann wahrscheinlich seine Mutter nicht finden.

(8) Das Hotel, *das* hoch oben auf dem Berg steht, gefällt mir.

4. Bilden Sie aus dem zweiten Satz einen Relativsatz:

(a) *Beispiel*:

Der Onkel zeigt den Kindern ein Lamm. Es ist nur *erst* einen Tag alt.

Der Onkel, der den Kindern ein Lamm zeigt, ist nur einen Tag alt.

Der Onkel

Der Onkel zeigt den Kindern ein Lamm, das nur einen
Tag alt ist.

(1) Wir gehen oft in das Kino, ~~Es ist~~ nicht weit von
unserem Hause. *das ist*

(2) Wo ist der kleine Hund? Er macht uns viel Spass. *der macht?*

(3) Hier ist das neue Buch., ~~Es ist~~ sehr interessant. *das ist*

(4) Der Bauer verkauft die Kuh, Sie gibt wenig Milch. *die gibt*

(5) Sie besuchen das Schloss, Es ist sehr berühmt. *das ist*

(b) *Beispiel*:

Der Esel ist sehr faul. Er liegt im Stroh.

Der Esel, der im Stroh liegt, ist sehr faul.

(1) Der Kuchen ist sehr teuer. Er schmeckt gut. *das*

(2) Das kleine Mädchen ~~ist meine~~ Schwester. Es spielt
mit dem Ball. *spielt, ist meine Schwester*

(3) Die Rosen ~~sind sehr schön~~, Sie blühen in deinem
Garten., *sind sehr schön* *die sehr gut spielen*

(4) Die Schauspieler ~~kommen aus Wien.~~ Sie spielen sehr
gut. *kommen aus Wien*

(5) Diese Frau ~~ist seine Tante.~~ Sie spricht mit meinem
Freund. *spricht, ist seine Tante*

5. Übersetzen Sie ins Englische:

Herr Schwarz verbringt gern ein Wochenende auf dem
Lande. Er besucht seinen Freund, der einen grossen
Bauernhof hat. Herr Schwarz liebt die frische, gesunde
Landluft. Er bleibt nicht lange im Bett; um 6 Uhr steht
er schon auf. Gleich nach dem Frühstück füttert er mit
seinem Freund die Hühner. Er geht auch gern in die
Ställe, um die Kälber, die er besonders gern hat, zu sehen.
Die Schweine, die immer so viel fressen, gefallen ihm gar
nicht; die Kühe und Schafe, die auf den Wiesen weiden, *graze*
interessieren ihn mehr. Sein Freund, der ein sehr reicher
Bauer ist, hat ein sehr gutes Reitpferd, das Herr Schwarz
sehr gern reitet. Er reitet durch Felder und Wälder, die
ihm immer so viel Freude machen.

LEKTION 7

KLEINE KINDER

Frau Günter, eine junge Mutter, sitzt auf einer grünen Bank in einem grossen, schattigen Park. Neben ihr sitzt eine ältere Dame, Frau Wolf, eine Freundin ihrer Mutter. Frau Günter hat zwei kleine Kinder, einen Jungen und ein Mädchen, die mit anderen kleinen Kindern im Sande spielen. Die beiden Damen sehen dem Spiel der Kinder zu. Nach einer Weile verlässt die kleine Ilse die fröhliche Kinderschar, läuft zu ihrer Mutter und küsst sie. Frau Günter, die darüber sehr glücklich ist, sagt:

„Sind kleine Kinder nicht lieb? Die Händchen kleiner Kinder sind so weich und zart, nicht wahr? Oh, ich habe kleine Kinder so gern! Sie sind alle so herzig. Ich kann stundenlang mit kleinen Kindern spielen. Ich habe auch die Kinder meiner Freundinnen gern.

Zu Hause haben meine Kinder ein grosses Zimmer; sie spielen darin. In einer Ecke ist ein grosser Tisch, darauf steht ein Puppenhaus. Es ist sehr schön; ich gab nur 25 Mark dafür. Im Puppenhaus sind fünf kleine Zimmerchen. Die Kinder nehmen die Puppen und andere Spielsachen daraus und spielen damit. Am Abend wollen sie sich von den Spielsachen nicht trennen, aber ich muss sie doch zu Bett bringen und ein Wiegenlied singen. Oh, ich rede die ganze Zeit von nichts als meinen Kindern! Langweile ich Sie nicht, Frau Wolf? — Besuchen Sie uns doch einmal, dann werde ich Ihnen unser neues Heim zeigen."

„Sie langweilen mich nicht im geringsten, Frau Günter, und ich verstehe Sie vollkommen. Ich werde Sie gern besuchen und werde mich freuen, Ihr neues Heim zu sehen. Aber ich kann Ihre Ansicht über kleine Kinder nicht teilen. Nehmen Sie es mir bitte nicht übel. Ihre Kinder gefallen mir auch sehr, aber ich könnte nicht mit ihnen stundenlang spielen. Ich bin zu nervös; kleine Kinder fallen mir auf die Nerven. Ich kann

32

das Geschrei kleiner Kinder nicht vertragen. Ich kann nichts dafür. In meinem Alter sehnt man sich nach Ruhe. Deshalb wohne ich allein, aber ich besuche ab und zu meine verheirateten Kinder. Meine Enkelkinder freuen sich auf meinen Besuch, denn ich bringe immer etwas für sie mit. Sie freuen sich darüber und sagen: ‚Oma, komme bald wieder!‘ So, jetzt muss ich gehen; darf ich Sie dann nächsten Dienstag besuchen? Wird das Ihnen passen?"

„Gewiss passt es mir, ich erwarte Sie am Dienstag um 4 Uhr zum Kaffee."

ZUM LERNEN

nicht im geringsten	not in the least
zu (ins) Bett bringen	to put to bed
Ich rede von nichts als meinen Kindern.	I speak of nothing but my children.
Nehmen Sie es mir nicht übel.	Do not be offended.
eine Ansicht teilen	to share an opinion
Ich könnte stundenlang spielen.	I could play for hours.
Sie fallen mir auf die Nerven.	They get on my nerves.
Ich kann nichts dafür.	I cannot help it.
Würde das Ihnen passen?	Would that suit you?
Es passt mir (dative)	It suits me.
Ich sehe dem Spiel der Kinder zu.	I watch the children playing.

GRAMMATIK

1. Declension of the adjective with the indefinite article

Singular

Masculine

Nom.	ein brauner Tisch
Acc.	einen braunen Tisch
Gen.	eines braunen Tisches
Dat.	einem braunen Tisch

	Feminine	*Neuter*
Nom.	eine neue Puppe	ein schönes Lied
Acc.	eine neue Puppe	ein schönes Lied
Gen.	einer neuen Puppe	eines schönen Liedes
Dat.	einer neuen Puppe	einem schönen Lied

Plural
Masculine

Nom.	braune Tische
Acc.	braune Tische
Gen.	brauner Tische
Dat.	braunen Tischen

	Feminine	*Neuter*
Nom	neue Puppen	schöne Lieder
Acc.	neue Puppen	schöne Lieder
Gen.	neuer Puppen	schöner Lieder
Dat.	neuen Puppen	schönen Liedern

2. **Declension of the adjective with kein and possessive adjectives:**

Singular
Masculine

Non.	unser brauner Tisch
Acc.	unseren braunen Tisch
Gen.	unseres braunen Tisches
Dat.	unserem braunen Tisch

	Feminine	*Neuter*
Nom.	meine alte Schule	kein altes Haus
Acc.	meine alte Schule	kein altes Haus
Gen.	meiner alten Schule	keines alten Hauses
Dat.	meiner alten Schule	keinem alten Haus

Plural

Nom.	unsere braunen Tische	keine alten Häuser
Acc.	unsere braunen Tische	keine alten Häuser
Gen.	unserer braunen Tische	keiner alten Häuser
Dat.	unseren braunen Tischen	keinen alten Häusern

3. Prepositions with pronouns

Spielt die Mutter mit dem Kind?
Ja, sie spielt mit **ihm.**
Spielt das Kind mit dem Ball?
Ja, es spielt **damit.**
Steht die schöne Vase auf dem Tisch?
Ja, sie steht **darauf.**
Was kaufte die Grossmutter für den Enkel?
Sie kaufte für **ihn** einen Zug und bezahlte nur 25 Mark
dafür.
When pronouns refer to objects and not to persons the
prefix da- (dar- before vowels) is used instead of the pronoun
and is joined to the preposition.

Examples:

unter dem Tisch (den Tischen) is replaced by *darunter*
in der Vase (den Vasen)   ,,   ,,   ,, *darin*
auf dem Stuhl (den Stühlen)   ,,   ,,   ,, *darauf*

damit	with it, with them
darin	in it, in them
darauf	on it, on them
darunter	under it, under them
daneben	near, next to it, next to them
daraus	out of it, from it, out of them, from them

These forms are used for all genders and numbers.

AUFGABEN

1. Beantworten Sie folgende Fragen:

(1) Wo sitzt Frau Günter?
(2) Wer ist Frau Wolf?
(3) Wie viele Kinder hat Frau Günter?
(4) Was tun die Kinder auf dem Spielplatz?
(5) Was kann Frau Günter stundenlang tun?
(6) Zu wem läuft die kleine Ilse?
(7) Wo spielen Frau Günters Kinder zu Hause?
(8) Wo steht das Puppenhaus?
(9) Langweilt Frau Günter Frau Wolf?

(10) Spielt Frau Wolf gern mit kleinen Kindern?
(11) Wen besucht Frau Wolf ab und zu?
(12) Wer freut sich auf ihren Besuch?

2. **Ersetzen Sie die Wörter im Kursivdruck (italics) durch Pronomen:**

(1) *Die Kinder* spielen *mit den alten Spielsachen.*
(2) *Die Mutter* spielt stundenlang *mit den Kindern.*
(3) *Peter* sitzt *auf einer grünen Bank.*
(4) *Ilse* freut sich *auf ihren Geburtstag.*
(5) *Der Vater* kaufte dieses Buch *für seinen Sohn.*
(6) *Der kleine Hund* schläft *unter dem Tisch.*
(7) *Die Hausfrau* bezahlt drei Mark *für die Äpfel.*
(8) *Der Enkel* steht *neben dem Grossvater.*
(9) *Meine Grossmutter* wohnt *neben dem weissen Haus.*
(10) *Frau Wolf* sehnt sich *nach Ruhe.*

3. **Take the sentences with** *kleine Kinder,* **write them out and state which case (nominative, accusative, genitive or dative) is used.**

4. **Bilden Sie Sätze aus jeder Wortgruppe:**

(1) Freundin langweilt im geringsten mich meine nicht.
(2) Hunden er Zeit seinen redet nichts ganze als die von.
(3) verheiratete ab und zu besucht Tochter ihre Frau Wolf.
(4) Kinder muss die sie bringen kleinen zu Bett und singen Wiegenlied ein.

5. **Übersetzen Sie ins Englische:**

Frau Günter erwartet am Dienstag Frau Wolf zum Kaffee. Um 4 Uhr klingelt es an der Tür. Frau Wolf kommt herein und begrüsst ihre junge Freundin und ihre Kinder. Ilse und Peter bekommen eine Schachtel Pralinen. Sie freuen sich sehr darüber und wollen gleich die Schachtel aufmachen und die Pralinen essen, aber sie dürfen es nicht tun. Die Mutter nimmt ihnen die Schachtel weg. Jetzt dürfen sie nichts davon haben. Sie werden die Pralinen nach dem Essen bekommen. Zuerst wird man Kaffee trinken und einen ausgezeichneten Apfelkuchen essen. Frau Günter führt Frau Wolf in das Speisezimmer. Alle setzen sich an den Tisch. Die Mutter schneidet den Kuchen; jedes Kind bekommt ein Stück davon. Die Kinder sind sehr artig und stören die Damen nicht. Frau Wolf erzählt von ihrem Sohn, macht ihre Handtasche auf und nimmt zwei Postkarten daraus. Sie sind aus Italien; dort verbringt ihr Sohn mit seiner Familie die Ferien.

LEKTION 8

EIN KINOBESUCH

An einem Freitagmorgen brachte der Briefträger Herrn Winter einen Brief. Er war von seinen Eltern, von denen er selten Briefe bekommt. Die Kleinstadt, in der seine Eltern wohnen, ist nicht sehr weit von Frankfurt entfernt. In dem Brief, der so unerwartet kam, sagten seine Eltern ihren Besuch am Wochenende an. Sie wollten einen Film, von dem sie so viel hörten, am Samstagabend sehen. Es war die Verfilmung eines Romans, den sie vor kurzem in einer Sonntagszeitung lasen. So sagte Frau Winter zu ihrem Mann:

„Rudolf, ich freue mich auf den Besuch deiner Eltern und auch auf den Film, den wir morgen abend sehen werden. Wir gehen nicht so oft ins Kino. Das wird eine nette Abwechslung von der Hausarbeit sein."

Am Nachmittag holte Herr Winter seine Eltern, die mit dem Personenzug um 16.05 Uhr ankamen, vom Bahnhof ab. Nach der Mahlzeit, die sehr gut schmeckte, führte Herr Winter seine Eltern und seine Frau ins Kino. Es war ein schönes, modernes Lichtspielhaus, in dem man sich sehr wohl fühlen konnte. In der Vorhalle waren moderne Sessel, in denen man sehr bequem warten konnte. An den Wänden hingen grosse Bilder von berühmten Filmschauspielern. Herr Winter ging an die Kasse und kaufte vier Eintrittskarten. Eine Platzanweiserin, die ein sehr hübsches, blondes Mädchen war, führte die beiden Paare auf ihre Plätze, die auf dem Balkon waren.

Zuerst lief die Wochenschau, die sehr interessant war. Man sah viel Sport, unter anderem auch die Tenniswettkämpfe in Wimbledon. Zuletzt kam der Hauptfilm „Geld ist nicht alles." Es war die Geschichte einer Ehe. Zuerst sieht man Karl Knappe, einen Mechaniker, der mit einer kleinen Werkstatt anfängt und Autos repariert. Er arbeitet sehr schwer. Nach kurzer Zeit hat er genug Geld, um eine Tankstelle zu kaufen.

38

Er hat Glück; bald hat er 25 Tankstellen, die ihm später Millionen einbringen. Seine junge Frau, die eine gute Bildung hat, hilft im Geschäft. Nach ein paar Jahren kauft er eine wunderschöne Villa, die in einem grossen Park steht. Jahre vergehen, und die Familie ist sehr glücklich. Er schenkt seiner Tochter zum achtzehnten Geburtstag einen roten Sportwagen. Sein kleiner Sohn hat eine englische Erzieherin. Aber die Millionen steigen dem Geschäftsmann in den Kopf, und er findet seine Frau nicht mehr interessant und elegant. Er trifft Marika, eine Tänzerin, in die er sich verliebt. Sie will Filmschauspielerin werden. Um ihr zu helfen, investiert er eine Million Mark in einen Film, in dem sie die Hauptrolle spielen will.

Karl Knappe verlässt seine Frau und will Marika, die eine gemeine Hochstaplerin ist, heiraten. Marika hat kein Talent, aus dem Film wird nichts, und Karl ist finanziell ruiniert.

Frau Knappe vergibt endlich ihrem Mann, dem nichts mehr gehört und der zu ihr zurück will. Sie beginnen wieder von Anfang an und wollen keine Millionen mehr haben. Geld bringt nicht immer Glück!

So hatte der Film, auf den sich die Zuschauer so freuten, ein glückliches Ende.

ZUM LERNEN

von Anfang an	from the beginning
vor kurzem	not long ago
unter anderem	amongst other things

GRAMMATIK

1. Declension of the relative pronouns

The relative pronouns have the same forms as the definitive article, except in the genitive singular and plural and the dative plural.

Singular

Masculine	Feminine	Neuter
Nom. der	die	das
Acc. den	die	das
Gen. dessen (whose, of which)	deren (whose, of which)	dessen (whose, of which)
Dat. dem	der	dem

Plural

Nom.	die
Acc.	die
Gen.	deren (whose, of which)
Dat.	denen (to whom, to which)

Beispiele:

Der Mann, der im Garten arbeitet, ist mein Bruder.
Das Haus, das oben auf dem Berge allein steht, ist sehr alt.
Da geht Herr Winter, den ich sehr gut kenne.
Die Berge, deren Gipfel immer mit Schnee bedeckt sind, sind sehr hoch.
Da ist eine moderne Küche, in der nichts fehlt.
Die Vorhalle ist ein schöner Raum, in dem man sich wohl fühlt.
Kennen Sie die Jungen, mit denen unsere Kinder spielen?
Die Blumen, die ich gestern kaufte, sind sehr teuer.
Mein Onkel, dessen Sohn in Amerika lebt, wird bald nach Washington fliegen.
Frau Wolf, deren Tochter verheiratet ist, besucht oft ihre Enkelkinder.

AUFGABEN

1. Beantworten Sie folgende Fragen:

Womit? By what means?

(1) Von wem bekam Herr Winter einen Brief?
(2) Wo wohnen seine Eltern?
(3) Wann wollten sie einen Film sehen?

(4) Worauf freute sich Frau Winter?
(5) Wann holte Herr Winter seine Eltern vom Bahnhof ab?
(6) Was sah man in der Vorhalle des Lichtspielhauses?
(7) Wie war die Platzanweiserin?
(8) Was sah man in der Wochenschau?
(9) Wer war Karl Knappe im Film?
(10) Womit verdiente er Millionen?
(11) In wen verliebte sich Karl Knappe?
(12) War Marika nur eine Tänzerin?
(13) Wie verlor Karl Knappe seine Millionen?
(14) Warum wollte er keine Millionen mehr haben?

2. Ergänzen Sie:

(1) Das Auto, d .... mein Bruder vor kurzem kaufte, war sehr teuer.

(2) Der neue Roman, d .... ich während meines Urlaubs las, erzählt von einem Mann, d .... in kurzer Zeit reich wurde.

(3) Dieses alte Haus, d .... Zimmer sehr gross sind, ist im Winter sehr kalt.

(4) Hier ist meine moderne Küche, d .... alle sehr gemütlich finden.

(5) Die blonde Frau, mit d .... Herr Schiller spricht, ist eine berühmte Tänzerin.

(6) Die Wochenschau, d .... zuerst läuft, ist sehr interessant.

(7) Hier ist das neue Lichtspielhaus, in d .... 2000 Plätze sind.

(8) Die Leute, d .... wir helfen müssen, sind sehr alt und arm.

(9) Der Knabe, d .... der Grossvater einen Teddybären schenkte, ist nur zwei Jahre alt.

(10) Sie wird ihre Enkelkinder, d .... sie sehr selten sieht, in den Ferien besuchen.

(11) Die kleine Werkstatt, mit d .... er anfing, brachte ihm später Millionen ein.

(12) Die Rosen, d.... Farben so zart sind, machen mir viel Freude.

(13) Die Puppen, mit d _____ meine Töchter spielen, sind
aus dem Schwarzwald.

(14) Die Dame, d _____ neues Abendkleid aus Paris kommt,
ist sehr reich.

3. Schreiben Sie Aufgabe 5, Lektion 6 im Imperfekt.

4. Übersetzen Sie ins Englische:

Letzten Donnerstag kam mein Bruder, von dem wir
schon seit zwei Jahren keine Post bekamen, unerwartet
auf Besuch. Er wohnt schon seit fünf Jahren in Afrika.
Natürlich waren wir über seinen Besuch sehr erfreut.
Nach dem Abendessen, das ihm sehr gut schmeckte,
erzählte er viel über Afrika. In der Stadt, in der er wohnt,
ist leider kein Theater, und er will daher während seines
Urlaubs oft ins Theater gehen. Er hat auch einen grossen
Wagen, den er leider in Afrika lassen musste. Er erzählte
uns auch von seinem Haus, das sehr gross und schön sein
muss. Mein Bruder, der sehr gern in Afrika lebt, lud uns
ein, ihn auf drei Monate zu besuchen. Er erzählte uns
auch viele lustige Geschichten, die uns sehr gefielen.
Diese Woche wird er unsere Eltern, die nicht weit von
hier wohnen, besuchen. Sie sind leider schon sehr alt
und haben nur ein kleines Häuschen, das sehr nett ist.
Daher kann mein Bruder nur ein Wochenende bei ihnen
verbringen, denn sie haben nicht genug Platz für Besucher,
die lange bleiben wollen.

LEKTION 9

WEIHNACHTSGESCHENKE

An einem Dezembermorgen geht Frau Winter an das Telefon, um ihre Schwester Frau Bergner anzurufen.

Frau Bergner: Hallo, hier ist Frau Bergner. Wer spricht?

Frau Winter: Ich bin es, deine Schwester Else. Guten Morgen, Lotte, wie geht es dir?

Frau B.   Danke, Else! Es geht mir sehr gut, und wie geht es dir?

Frau W.   Danke, gut. Kannst du mich morgen früh in der Stadt treffen? Ich möchte mit dir einkaufen gehen. Weihnachten steht vor der Tür, und ich brauche allerlei Sachen für meine Familie und mich selbst.

Frau B.   Nun gut. Ich will dir gerne helfen. Für dich kann ich immer Zeit finden. Also, wo sollen wir uns treffen, damit wir keine Zeit verlieren?

Frau W.   Kannst du um halb elf auf der Hauptpost sein?

Frau B.   Aber natürlich. Also bis morgen. Entschuldige, zum Plaudern habe ich heute keine Zeit mehr, weil ich schon um halb zehn beim Zahnarzt sein muss.

Frau W.   Also, ich erwarte dich morgen um halb elf auf der Hauptpost. Ich weiss, dass du immer sehr pünktlich bist. Aber ich bedaure, dass du vielleicht meinetwegen nicht pünktlich beim Zahnarzt sein wirst. Also, auf Wiedersehen!

Nach dem Telefongespräch geht Frau Winter in das Wohnzimmer, um eine Einkaufsliste zu machen. Sie setzt sich an den Tisch, nimmt ihren Notizblock, ihren Kugelschreiber und denkt nach. Da Herr Winter mit seinem Geschäft viel Geld verdient, hat Frau Winter genug Geld, und deshalb soll die ganze Familie neue Bekleidung zu Weihnachten bekommen. Herr Winter, der gute, teure Stoffe für seine Anzüge wählt, bestellte bereits vor einem Monat bei einem guten Schneider einen neuen Anzug und einen Wintermantel. Frau Winter hat auch eine sehr gute Damenschneiderin, die ihr alle Kleider näht. So wird Frau Winter zu Weihnachten ein Abendkleid aus schwarzem Samt und ein blaues, wollenes Nachtmittagskleid haben.

Da Klaus und Hannelore so schnell wachsen, kauft sie gewöhnlich für ihre Kinder fertige Bekleidung, weil es so billiger ist. Wenn Herr Winter Zeit hat, wird er selbst mit Klaus gehen, um ihm einen neuen Anzug zu kaufen. Hannelore wird morgen nachmittag ihre Mutter und ihre Tante in einem Café treffen; am Vormittage wird sie noch in der Schule sein.

Frau Winter hat noch immer den Kugelschreiber in der Hand, sie wirft einen Blick auf die Wolle, die vor ihr auf dem Tisch liegt, daraus soll ein Pullover für ihren Gatten werden. Jeden Tag wird sie zwei Stunden daran stricken müssen, damit das Geschenk für ihren Mann zu Weihnachten fertig ist. Die Geschenke, die sie morgen kaufen will, schreibt sie auf eine Liste.

GESCHENKLISTE

Für Klaus

1 Kamera	1 Paar Schuhe
2 Hemden	1 Schlafanzug
2 Paar Socken	1 Schlips
1 Schihose	

Für Hannelore

1 Armbanduhr
1 Paar Handschuhe
1 Perlon-Nachthemd
2 Paar Nylonstrümpfe
1 Wolljacke

„Das ist nun alles," denkt Frau Winter und versteckt die Liste, damit die Kinder sie nicht sehen. Sie wird an einem anderen Tag ein zweites Geschenk für ihren Mann aussuchen.

ZUM LERNEN

fertige Bekleidung	ready made clothes
einen Blick werfen	to cast a glance
für mich selbst	for myself

GRAMMATIK

1. The verb **sollen** (to be to, to have to, to be obliged to)

Präsens		*Imperfekt*	
ich soll	I shall, am to	ich sollte	I should, was to
du sollst		du solltest	
er soll		er sollte	
sie soll		sie sollte	
es soll		es sollte	
wir sollen		wir sollten	
ihr sollt		ihr solltet	
Sie sollen		Sie sollten	
sie sollen		sie sollten	

Beispiele:

Was sollen wir jetzt tun? 〔What shall we do now?
〔What are we to do now?

Klaus sollte gestern nach Freudenstadt fahren — Klaus was to travel to Freudenstadt yesterday

2. Word order in subordinate clauses:

Besides relative pronouns, subordinate clauses are introduced also by subordinating conjunctions, such as **weil, dass, da, damit** and others, which will be dealt with in further lessons.

It must be remembered that in all subordinate clauses **the verb stands last**. The subordinate clause may precede or follow the main clause. If the subordinate clause precedes the main clause, the verb stands first in the main clause because the subordinate clause is considered as the first idea.

The subordinate clause must be separated from the main clause by a comma or commas.

Beispiele:
Weil das Wetter kalt ist, kaufe ich mir einen Wintermantel.

Ich kaufe mir einen Wintermantel, weil das Wetter kalt ist.

Er weiss, dass sein Freund immer pünktlich ist.

Da der Geschäftsmann viel Geld verdient, bestellt er teure Anzüge.

Die Äpfel, die ich gestern kaufte, waren sehr billig.

AUFGABEN

1. Beantworten Sie folgende Fragen:

(1) Wen ruft Frau Winter an einem Dezembermorgen an?

(2) Warum ruft Frau Winter ihre Schwester an?

(3) Wo soll Frau Bergner auf ihre Schwester warten?

(4) Warum hat Frau Bergner zum Plaudern keine Zeit?

(5) Wohin geht Frau Winter nach dem Telefongespräch?

(6) Was macht sie im Wohnzimmer?

(7) Warum hat Frau Winter genug Geld?

(8) Was bestellte Herr Winter bei einem guten Schneider?

(9) Wer näht die Kleider für Frau Winter?

(10) Warum kauft Frau Winter für ihre Kinder fertige Bekleidung?

(11) Was strickt Frau Winter für ihren Gatten?

(12) Was bekommt Klaus zu Weihnachten?

(13) Was bekommt Hannelore zu Weihnachten?

(14) Warum versteckt Frau Winter die Geschenkliste?

2. Machen Sie einen Satz aus jeder Satzgruppe:

Beispiel:
Peter trinkt ein Glas Limonade.
Er ist sehr durstig. (weil)
Peter trinkt ein Glas Limonade, weil er sehr durstig ist.

1. Letzten Sonntag machten wir keinen Ausflug.
Das Wetter war sehr schlecht. (weil)

2. Ich bekam von meinem Onkel aus Amerika einen Brief.
Von ihm bekomme ich nicht oft Post. (von dem)
3. Die Sonne schien so heiss.
Ich musste mich auf eine Bank in einem schattigen Park
setzen. (dass)
4. Heinz kaufte seiner Mutter nur ein kleines Geschenk.
Er hatte nicht viel Geld. (da)
5. Wir besuchen am Sonntag meine Tante.
Sie wohnt in Neudorf. (die)
6. Nächstes Jahr fahre ich nach Deutschland auf Urlaub.
Ich bekam eine Einladung von meinem Freund Peter. (da)
7. Mein Vater kauft nächste Woche einen neuen Wagen.
Sein Wagen ist schon sehr alt. (weil)
8. Ich fliege nach London.
Ich kann am nächsten Tag zurückkehren. (damit)
9. Die Kamera war so teuer.
Mein Bruder konnte sie nicht kaufen. (dass)
10. Klaus muss heute seine Aufgaben machen.
Er kann morgen ausgehen. (damit)

3. Schreiben Sie Aufgabe 5, Lektion 7 im Imperfekt:

4. Ergänzen Sie:

(1) Das Haus, in d . . . . wir wohnen, ist sehr modern.
(2) Unser Wagen, mit d . . . . wir auf Urlaub fahren
wollten, ist in Reparatur.
(3) Meine Schwestern, von d . . . . wir lange nichts hörten,
wollen uns nächsten Sonntag besuchen.
(4) Herr Müller, d . . . . ich gestern im Restaurant traf,
war sechs Monate in England.
(5) Die Stadt, in d . . . . meine Grossmutter wohnt, ist
nicht weit von Hamburg.
(6) Die Kinder, d . . . . im Sand spielen, sind sehr unartig.
(7) Der Zahnarzt, d . . . . ich oft besuche, spricht sehr gut
Deutsch.
(8) Die alten Leute, d . . . . wir Geschenke zu Weihnachten geben wollen, werden sich sehr darüber freuen.

(9) Das neue Kino, in d . . . . wir oft gehen, zeigt aucl
amerikanische Filme.

(10) Die Kellnerin, d . . . . uns das Mittagessen serviert, is
blond und hübsch.

5. Übersetzen Sie ins Englische:

Mitte Dezember mache ich gewöhnlich meine Weih-
nachtseinkäufe. Zuerst mache ich eine Liste, damit ich
weiss, was ich kaufen soll. Ich brauche viel Geld, weil ich
immer viele Geschenke kaufe. Für meine Schwester
werde ich dieses Jahr eine weisse Bluse kaufen, da sie
Blusen sehr gern hat. Meinem kleinen Bruder, der nur
sechs Jahre alt ist, werde ich einen billigen Zug schenken,
weil er für einen elektrischen Zug noch zu jung ist. Meinem
Vater werde ich ein Paar warme, wollene Handschuhe
geben, da seine alten Handschuhe schon sehr schlecht
sind. Ich glaube, er wird sich sehr darüber freuen. Ich
weiss noch nicht, was ich meiner Mutter schenken soll,
da es sehr schwer ist, für eine Frau zu wählen. Ich habe
auch ein paar Freunde, denen ich Geschenke geben muss.
Für Robert werde ich eine Schachtel Taschentücher
kaufen, weil er immer seine Taschentücher verliert.
Für meinen Freund Ludwig kaufte ich bereits ein Buch,
da er so gern einen guten Roman liest. Hoffentlich werde
ich genug Geld haben, um alle diese Geschenke zu kaufen.

WEIHNACHTSLIED

O Tannenbaum, o Tannenbaum, wie treu sind deine Blätter!
Du grünst nicht nur zur Sommerzeit,
Nein, auch im Winter, wenn es schneit,
O Tannenbaum, o Tannenbaum, wie treu . . . .

O Tannenbaum, o Tannenbaum, du kannst mir sehr gefallen!
Wie oft hat doch zur Weihnachtszeit,
Ein Baum von dir mich hoch erfreut!
O Tannenbaum, o Tannenbaum, du kannst . . . .

O Tannenbaum, o Tannenbaum, dein Kleid will mich was
 lehren.
Die Hoffnung und Beständigkeit
Gibt Trost und Kraft zu jeder Zeit,
O Tannenbaum, o Tannenbaum, dein Kleid . . . .

Vokabeln:

der Tannenbaum	fir-tree
lehren	to teach
die Beständigkeit	constancy
die Kraft	strength
die Hoffnung	hope
der Trost	consolation
zu jeder Zeit	at any time, always.

LEKTION 10

Wiederholung

DAS WEIHNACHTSFEST

Weihnachten ist in Deutschland ein Familienfest. Gewöhnlich verbringt man es im Familienkreise. Viele Geschäfte schliessen bereits am frühen Nachmittag des 24. Dezembers. Alle Kinos, Theater, Restaurants und Tanzlokale sind am Heiligen Abend geschlossen, damit jedermann das Fest mit seiner Familie feiern kann. Nach 5 Uhr nachmittags sind die Strassen leer; man sieht nur wenige Fahrzeuge.

Wollen Sie wissen, was die Winters am Heiligen Abend machen? Herr Winter kommt bereits um 2 Uhr nach Hause, um seiner Familie bei den Vorbereitungen zu helfen. Zuerst schmückt er im Wohnzimmer den Christbaum. Dann legt er alle Geschenke unter den Baum. Nachher geht er in die Küche, um eine Tasse Kaffee zu trinken. Seine Frau nimmt gerade den Schweinebraten aus dem Ofen. Hannelore ist mit dem Weihnachtsstollen beschäftigt.

Bald ist alles für den festlich geschmückten Weihnachtstisch fertig. Zuletzt stellt Hannelore Leuchter mit bunten Kerzen darauf. Die ganze Familie geht nun in die Schlafzimmer, um sich umzukleiden.

Herr Winter kommt als erster herunter und geht in das Wohnzimmer, wo er die Kerzen auf dem Weihnachtsbaum anzündet. Dann klingelt er eine silberne Glocke und öffnet die Tür zum Esszimmer. Frau Winter und die Kinder kommen herein. Hannelore setzt sich ans Klavier und spielt „Stille Nacht". Alle singen das schöne, alte Weihnachtslied. Dann wünscht man einander ein frohes Weihnachtsfest. Die Eltern geben den Kindern Geschenke, und die Kinder haben auch einige Gaben für ihre Eltern. Alle sind glücklich und mit ihren Geschenken zufrieden. Klaus legt noch einige Weihnachtslieder auf den Plattenspieler. Während die Musik noch spielt, geht die Familie in das Esszimmer und setzt sich an den Weihnachtstisch.

AUFGABEN

1. Beantworten Sie folgende Fragen:

(1) Wo verbringt man gewöhnlich Weihnachten in Deutschland?
(2) Was ist am Heiligen Abend geschlossen?
(3) Warum kam Herr Winter bereits um 2 Uhr nachmittags nach Hause?
(4) Was machte er im Wohnzimmer?
(5) Was taten Frau Winter und Hannelore in der Küche?
(6) Was stellte Hannelore zuletzt auf den Tisch?
(7) Warum ging die ganze Familie in die Schlafzimmer?
(8) Was tat Herr Winter, als er herunterkam?
(9) Welches Weihnachtslied spielte Hannelore?
(10) Was tat die Familie beim Weihnachtsbaum?

2. Fragen Sie einander:

(1) Wie verbringt man in England den Heiligen Abend?
(2) An welchem Tag gibt man in England die Weihnachtsgeschenke?
(3) Welche Geschenke bekamen Sie zu Weihnachten?
(4) Was schenkten Sie Ihrer Familie und Ihren Freunden zu Weihnachten?
(5) Wie verbrachten Sie das letzte Weihnachtsfest?

3. Schreiben Sie im Imperfekt:

Klaus und Hannelore bekommen eine Einladung von ihrem Onkel, ihn in Freudenstadt zu besuchen. Sie freuen sich sehr auf den Besuch und können während der Woche nicht gut schlafen. Am Freitag kommen sie schnell aus der Schule nach Hause und packen ihre Koffer. Um 15.30 Uhr fahren sie mit dem Schnellzug nach Freudenstadt ab und kommen nach vier Stunden dort an. Der Onkel erwartet die Kinder am Bahnsteig und begrüsst sie. Sie fahren mit

dem Wagen des Onkels zu seinem Bauernhof, der ausserhalb der Stadt liegt. Sie sind von der Reise sehr müde und
gehen bald zu Bett. Am Samstag weckt der Onkel sie
früh, weil Klaus mit ihm zur Mühle fahren will.

Zu Hause hilft Hannelore ihrer Tante in der Küche, und
beide arbeiten fleissig. Nachher reitet Hannelore auf
einem Esel durch die Wiesen, bis Klaus von der Mühle
zurückkommt. Am Nachmittag zeigt der Onkel den
Kindern den Bauernhof und führt sie in die Ställe.

4. Lesen Sie Aufgabe 3 im Futurum!

5. Ergänzen Sie:

(1) Er (verlassen) d . . . . Stall und (gehen) auf d . . . .
Wiese. Dort (sehen) er ei . . . . Kuh und ei . . . . Pferd.
D . . . . Kuh (fressen) d . . . . grün . . . . Gras.

(2) A . . . . Wochenende (gehen) mei . . . . alt . . . . Freund
in d . . . . Kino. Er (wollen) ei . . . . lustig . . . . Film
sehen. Er (lachen) viel und (sich amüsieren).

(3) Während d . . . . letzt . . . . Sommer . . . . (regnen *Imperf.*) es oft; d . . . . Sonne (scheinen *Imperf.*) selten.
Wegen d . . . . schlecht . . . . Wetter . . . . (können *Imperf.*) wir kein . . . . Ausflug machen.

(4) Du (sich freuen) auf d . . . . Urlaub, aber du (dürfen)
nicht in d . . . . kalt . . . . Wasser schwimmen. Wenn
du (wollen), (können) du mit ei . . . . Ruderboot
fahren.

(5) Robert (sich freuen) über d . . . . Einladung in ei . . . .
gut . . . ., modern . . . . Restaurant, aber er (mögen)
kein . . . . Ochsenschwanzsuppe, d . . . . oft auf d . . . .
Speisekarte steht.

(6) Wir (sehen) d . . . . gross . . . . Tisch in d . . . . Ecke
d . . . . Zimmer . . . ., wo ei . . . . blau . . . . Vase da
. . . . (stehen).

(7) Der Freund, mit d . . . . ich oft (ausgehen), (kommen)
dies . . . . Wochenende. In d . . . . Gasthaus, in das
wir gehen (wollen), (spielen) ei . . . . sehr berühmt
. . . . Musikkapelle.

(8) Mein . . . . Eltern, von d . . . . ich nicht oft (hören),
(schicken *Imperf.*) mir ei . . . Geschenk zu Weihnachten.

6. **Schreiben Sie ungefähr 80-100 Worte über eines der folgenden Themen:**

      (a) Ein Wochenende
      (b) Ein Kinobesuch
      (c) Weihnachten

STILLE NACHT

Musik: Franz Gruber

1. Stille Nacht, heilige Nacht,
Alles schläft, einsam wacht
Nur das traute, hochheilige Paar.
Holder Knabe im lockigen Haar,
Schlaf' in himmlischer Ruh'.

2. Stille Nacht, heilige Nacht,
Hirten erst kundgemacht,
Durch der Engel Halleluja
Tönt es laut von fern und nah':
Christ, der Retter ist da!

3. Stille Nacht, heilige Nacht,
Gottes Sohn, o wie lacht
Lieb' aus deinem göttlichen Mund,
Da uns schlägt die rettende Stund',
Christ in deiner Geburt!

Text: Josef Mohr

Vokabeln:

heilig	holy
einsam	lonely
wachen	to watch
traut	dear, beloved
hochheilig	most holy
tönen	to sound, resound

fern	far
der Retter	Saviour
schlagen	to strike
die Geburt	birth
hold	lovely
lockig	curly
das Haar	hair
himmlisch	heavenly
der Hirt (en)	shepherd
kundgemacht	made known
Gott	God
die Liebe	love
göttlich	divine
der Mund	mouth
die rettende Stunde	the hour of salvation

LEKTION 11

KLAUS WIRD KRANK

Nach Weihnachten war das Wetter sehr kalt. Das Thermometer zeigte oft $-10°$ C und manchmal fiel die Temperatur noch mehr. Es schneite auch oft. Klaus und Hannelore waren darüber froh, weil sie Wintersport treiben konnten.

Als Anfang Januar der Schnee fest und hoch genug war, gingen sie auf die benachbarten Hügel rodeln oder Schi laufen. Sie gingen auch Schlittschuh laufen, wenn die Temperatur nicht zu niedrig war. Sie besuchten oft eine neue, moderne Schlittschuhbahn, wo sie viele ihrer Freunde trafen. Wenn es auf dem Eise zu kalt wurde, gingen sie in den Erfrischungsraum, um sich mit einem heissen Getränk zu wärmen. Aber eines Tages war Klaus sehr unvorsichtig. Es wurde ihm in dem Erfrischungsraum zu heiss, und er kehrte auf die Schlittschuhbahn zurück. Das war natürlich sehr töricht von ihm.

Am folgenden Tage, als er aus der Schule zurückkam, war er sehr müde und wollte nichts essen. Als seine Mutter bemerkte, wie rot sein Gesicht war, legte sie ihre kühle Hand auf seine heisse Stirn und sagte:

„Mein Junge, du hast Fieber, ich werde dich gleich zu Bett bringen und dir die Temperatur messen."

Als sie nachher das Thermometer ansah, zeigte es $39,6°$ C ($103.4°$ F.). Frau Winter war sehr besorgt und liess den Arzt kommen. Klaus musste drei Stunden warten, denn der Arzt hatte noch seine Sprechstunde.

Als der Arzt endlich kam, fühlte er dem Kranken den Puls und mass ihm die Temperatur. Klaus musste auch die Zunge zeigen. Nachher untersuchte der Arzt ihn gründlich und verschrieb ihm mehrere Arzneien. Dann sagte er zu Klaus:

„Mein Junge, du hast dich schrecklich erkältet, du hast eine schwere Grippe. Du wirst wenigstens eine Woche im Bett bleiben müssen. Bleibe im Bett, so lange du Fieber hast. Also, gute Nacht, morgen komme ich wieder," und der Arzt verliess

das Haus. Dann schickte Frau Winter Hannelore zur Apotheke,
um die Arzneien zu holen.

Nach drei Tagen fühlte sich Klaus viel besser. Aber Frau
Winter hatte es mit ihrem Sohn nicht leicht. Klaus ist immer
sehr ungeduldig, wenn er krank ist. Er fragte oft seine Mutter:
„Mutti, weisst du, wann ich wieder aus dem Bett darf?
Weisst du, wann der Arzt heute kommt? Es ist so langweilig
im Bett zu liegen, wenn man nichts tun kann."

Als am Samstagmorgen der Arzt Klaus besuchte, durfte er
eine Stunde im Lehnstuhl sitzen and auch ein wenig im Zimmer
umherspazieren. Am folgenden Tage durfte Klaus länger auf-
bleiben. Nach zehn Tagen war er gesund und konnte bald
wieder die Schule besuchen, die er so lange versäumt hatte.

ZUM LERNEN

—10° C (minus zehn Grad Celsius)	minus 10 degrees centi- grade
Sport treiben	to engage in sports
Schi laufen	to ski
Schlittschuh laufen	to skate
den Arzt kommen lassen	to call the doctor
den Puls fühlen	to take the pulse
die Temperatur messen	to take the temperature
Ich habe mich erkältet	I have caught a cold

GRAMMATIK

1. **The Subordinating Conjunctions: wenn, als, wann**
Wenn is used to translate the English **whenever** or **if**.

Wenn das Wetter schön war, gingen wir immer spazieren.
Wenn es wieder schneit, fahren wir nicht nach London.

Als refers to a particular event or period of time in the past.
Als Klaus am Nachmittag nach Hause kam, war er sehr
müde.
Als meine Grossmutter in Hamburg wohnte, konnten wir
sie nur selten besuchen.

Wann is used in direct and indirect questions referring to time.

Wann kommt der Arzt?

Ich weiss nicht, wann er kommt.

2. Expressions of time

eines Tages	one day
eines Abends	one evening
am folgenden Tage	on the following day
am Montag	on Monday
im Juli	in July

3. Impersonal constructions with the dative and accusative

Es ist mir heiss (kalt) *It is hot to me*

or ⎱ I am hot (cold)

Mir ist heiss (kalt)

In German there are three ways of saying *I am cold*.

(a) mir ist kalt *or* es ist mir kalt

(b) mich friert

(c) ich friere.

Expressions with *frieren* may also mean *I am freezing*.

Do not use *Ich bin kalt* which means *I am indifferent, calm*.

AUFGABEN

1. Beantworten Sie folgende Fragen:

(1) Wie war das Wetter nach Weihnachten?

(2) Warum waren Klaus und Hannelore über das kalte Wetter froh?

(3) Was machten die Kinder auf den benachbarten Hügeln?

(4) Wohin gingen sie Schlittschuh laufen?

(5) Wann gingen sie in den Erfrischungsraum?

(6) Wer war unvorsichtig und wurde krank?

(7) Warum bemerkte die Mutter, dass Klaus Fieber hatte?

(8) Wen liess Frau Winter kommen?

(9) Was verschrieb der Arzt?

(10) Wie lange war Klaus krank?

(11) Sind Sie oft krank?

(12) Lassen Sie den Arzt kommen, wenn Sie krank sind?

2. Ergänzen Sie:

(1) Wenn ich krank bin, untersucht mich der Arzt und verschreibt mir eine Arznei.

(2) Als wir letztes Jahr nach Österreich fuhren, war das Wetter sehr heiss.

(3) Wann können Sie endlich kommen und mein Radio reparieren?

(4) Als er gestern aufstand, bemerkte er, dass Schnee auf der Strasse lag.

(5) Wenn Herr Winter in einem Restaurant speist, trinkt er immer eine Flasche Wein.

(6) Wann darf ich Sie wieder sehen, Fräulein Schmidt?

(7) Bitte wissen Sie, wann heute abend ein Zug aus Hamburg ankommt?

(8) Wenn es im Winter schneit, gehen die Kinder entweder Schi oder Schlittschuh laufen.

(9) Als meine Mutter letzte Woche in London war, sah sie ein sehr gutes Lustspiel.

(10) Wenn der Grossvater am Abend nicht im Garten arbeitet, liest er ein Buch oder hört Radio.

(11) Wann können Sie wieder mit mir ins Theater gehen?

(12) Als Klaus kein Fieber mehr hatte, durfte er aufstehen.

3. Lesen Sie das Lesestück in Lektion 11 im Präsens:

4. Bilden Sie Sätze aus jeder Wortgruppe:

(1) Als war krank letzten Winter ich, kommen den Arzt liess ich.

(2) Wenn in London bin ich, ins Theater immer ich gehe.

(3) Nicht ich weiss, ankommt der Zug wann aus Frankfurt.

(4) Gestern abend zu Hause blieb ich, weil sehr es kalt war.

5. Übersetzen Sie ins Englische:

Als ich letzten Winter eine Erkältung hatte, musste ich den Arzt kommen lassen, denn ich hatte Fieber. Er kam nach einer Stunde und untersuchte mich gründlich.

„Sie haben eine leichte Grippe, junger Mann," sagte der Arzt and verschrieb mir eine Arznei.

„Bleiben Sie im Bett, bis ich Sie wieder sehe," sagte er, nahm seine Tasche und ging zur Tür.

„Aber wann werden Sie mich wieder sehen, Herr Doktor?" fragte ich den Arzt.

„Morgen komme ich wieder, und wenn Sie kein Fieber mehr haben, werden Sie am nächsten Tag aufstehen dürfen. Wenn Sie sich in der Nacht schlecht fühlen, dann nehmen Sie zwei Tabletten jede vier Stunden," sagte der Arzt.

Am nächsten Tag fühlte ich mich schon viel besser, aber ich durfte noch nicht aufstehen. Nach drei Tagen stand ich endlich auf, und nach einer Woche konnte ich wieder ins Büro gehen.

LEKTION 12

EIN BRIEF

Heute um 10 Uhr morgens hat der Briefträger einen Brief für Klaus gebracht. Als Klaus nach 1 Uhr von der Schule nach Hause kam, gab seine Mutter ihm den Brief. Er war von seinem schottischen Freund Gordon, der in Edinburgh wohnt.

Klaus hat seit sechs Monaten von Gordon nichts gehört. Gleich nach dem Mittagessen hat Klaus den Brief geöffnet und ihn gelesen.

Edinburgh,
den 26. Februar

LIEBER KLAUS!

Zuerst muss ich mich bei Dir entschuldigen, dass ich Deinen letzten Brief so lange nicht beantwortet habe. Ich wollte Dir schon vor Weihnachten schreiben, aber ich bin immer zu faul gewesen. Zu Weihnachten bin ich zu meiner Tante nach Belfast gefahren. Ich habe Dir eine Ansichtskarte aus Irland gesandt.

Am 14. Januar bin ich dann mit meiner Klasse auf drei Wochen nach Frankreich zum Schilaufen gefahren. Da ich noch nie in Frankreich gewesen bin, freute ich mich sehr auf die Reise. Wir sind von Edinburgh mit dem Zug nach London gefahren. Von dort sind wir dann über den Kanal nach Calais geflogen. Auf dem Flugplatz in Calais hat ein Autobus auf uns gewartet und uns nach Chamonix gebracht. In Chamonix sind wir in einer Schischule geblieben. Ich habe mit meinem Freund ein sehr schönes Zimmer gehabt. Wir konnten von unserem Fenster den Mont Blanc sehen.

Wir haben einen sehr guten Schilehrer gehabt und sind jeden Tag Schi gelaufen. Mir hat es sehr gut gefallen. Gewöhnlich sind wir mit dem Schilift zur Endstation gefahren und dann ins Tal hinuntergelaufen. Leider hat sich ein

Schulkamerad das linke Bein gebrochen. Er hatte grosse Schmerzen und wir mussten ihn ins Krankenhaus bringen.

Mir hat es in Chamonix sehr gut gefallen, nur konnte ich die Sprache nicht verstehen, da ich erst seit sechs Monaten Französisch lerne. Vielleicht kann ich nächstes Jahr mehr verstehen, sollten wir wieder nach Frankreich fahren.

Wie geht es Dir, Deiner Schwester und Deinen Eltern? Ich hoffe, dass Ihr alle gesund seid. Mein Vater hat vor drei Wochen eine leichte Grippe gehabt, aber jetzt ist er wieder gesund.

Ich muss jetzt meinen Brief schliessen und hoffe, dass ich bald von Dir eine Antwort bekommen werde.

Mit herzlichen Grüssen an Dich, Deine Schwester und Deine Eltern

verbleibe ich
Dein Freund Gordon.

GRAMMATIK

1. The perfect tense

In German the perfect tense is formed by the present tense of *haben* or *sein* as auxiliaries and the *past participle* of the verb.

Weak verbs:

ich lerne	ich habe gelernt
ich koche	ich habe gekocht
ich habe	ich habe gehabt

The past participle of weak verbs takes the prefix **ge-** and adds **t** to the stem.

Strong verbs:

ich spreche	ich habe gesprochen
ich trinke	ich habe getrunken
ich schreibe	ich habe geschrieben
ich helfe	ich habe geholfen.

Strong verbs usually change the stem vowel and take also the prefix **ge-** but add **-en** to the stem.

Verbs expressing motion or change of a state form the perfect tense with **sein** and **not** with haben.

ich gehe	ich bin gegangen
ich schwimme	ich bin geschwommen
ich steige	ich bin gestiegen

The verbs **sein, werden** und **bleiben** are also conjugated with **sein.**

ich bin	ich bin gewesen
ich werde	ich bin geworden
ich bleibe	ich bin geblieben

Note: a list of strong and irregular verbs can be found on page 107.

2. **The past participle always stands last in a clause, except in a subordinate clause when the past participle is followed by the auxiliary verb.**

Examples:

Gordon hat Klaus einen Brief geschrieben.

Frau Winter hat gestern den ganzen Morgen gekocht.

Heute ist mein Vater sehr müde, weil er viel gearbeitet hat.

Da ich noch nie in Deutschland gewesen bin, freue ich mich auf die Reise.

AUFGABEN

1. **Beantworten Sie folgende Fragen:**

(1) Von wem hat Klaus einen Brief bekommen?

(2) Seit wann hat Klaus von Gordon nichts gehört?

(3) Warum hat Gordon Klaus so lange nicht geschrieben?

(4) Wohin ist Gordon zu Weihnachten gefahren?

(5) Wann ist er mit seiner Klasse nach Frankreich gefahren?

(6) Wie lange ist er in Frankreich geblieben?

(7) Womit ist Gordons Klasse von Calais nach Chamonix gefahren?

(8) Was für einen Schilehrer hat die Klasse gehabt?

(9) Wohin sind die Schüler mit dem Schilift gefahren?

(10) Seit wieviel Monaten lernt Gordon Französisch?

2. Konjugieren Sie folgende Verben im Perfekt:
  (a) lernen, spielen, kochen
  (b) sprechen, sehen, rufen
  (c) gehen, kommen, laufen

3. Übersetzen Sie ins Englische:

Peter Green, ein Student der Universität von Manchester, fährt zum Wintersport nach Garmisch Partenkirchen. Um 9 Uhr morgens verlässt er das Haus und fährt mit dem Omnibus zum Flughafen. Um 10.30 Uhr fliegt er direkt nach München und landet dort um 13.10 Uhr. Er fährt sofort mit dem Zug nach Garmisch. Er bleibt in einem guten Hotel mit einer schönen Aussicht auf die Berge. Am nächsten Tag beginnt er seinen Schikurs, und er hat einen sehr guten, geduldigen Lehrer. Da es früh dunkel wird, bleibt er nur bis 4 Uhr auf den Bergen. Nach dem Aufenthalt im Freien ist er immer sehr müde und hungrig.

Am Abend, wenn ein interessanter Film läuft, geht er ins Kino. Wenn er aber am Abend im Hotel bleibt, liest er Zeitungen, trifft Freunde oder tanzt nach dem Abendessen.

4. Schreiben Sie Aufgabe 3 im Perfekt.

LEKTION 13

DER KLEINE HEINI

Am Mittwoch ist der kleine Heinrich nach der Schule nicht nach Hause gegangen, sondern er hat sich auf den Weg zu seiner Tante Frau Winter gemacht. Sie hat ihn zu Klaus' Geburtstag eingeladen. Frau Winter hat Heinrich, den Sohn ihrer Schwester, sehr lieb. Er ist auch ihr Patenkind. Heinrich ist ein kleiner, drolliger Bursche, der das erste Jahr in die Schule geht und sehr komische Geschichten davon erzählt.

Frau Winter hat gleich ihren Neffen gefragt:

„Nun, Heini, wie ist es dir heute in der Schule gegangen? Wie haben dir die Stunden gefallen? Hast du alle deine Aufgaben machen können? Wie gefällt dir dein neuer Lehrer?"

„O Tante, der erste Lehrer ist sehr dumm gewesen, aber dieser neue Lehrer ist ebenso dumm."

„Aber Heini, wie kannst du so von deinen Lehrern sprechen? Klaus und Hannelore haben nie von ihren Lehrern so etwas gesagt. Warum findest du deinen Lehrer dumm? Warum?"

„Liebe Tante, gewiss ist er dumm! Er weiss gar nichts. Er stellt uns immer nur Fragen. Heute hat er wieder viele Fragen gestellt, und wir haben sie alle beantworten müssen. Ich habe nicht alle Fragen beantworten können und der Lehrer ist mit mir nicht zufrieden gewesen. Günther und Siegfried, die immer ihre Schularbeiten selbst machen, hat er besonders gern. Ihre Eltern haben ihnen nie helfen wollen. Meine Mutter hilft mir immer, wenn ich eine Aufgabe nicht machen kann."

Frau Winter hat Heini unterbrechen müssen, denn sie hat sein dummes Geschwätz nicht weiter hören wollen.

„Lieber Heini, dein Lehrer ist nicht dumm. Er weiss alles, was er euch fragt. Er will nur wissen, ob ihr alles verstanden habt."

„O nein, Tante, heute hat der Lehrer wieder unrecht gehabt. Gestern haben wir Kopfrechnen gehabt. Der Lehrer hat Otto gefragt: ‚Otto, sage mir wieviel sind $3 + 8 = ?$' Otto hat

geantwortet: ‚3 und 8 sind 10'. Dann sagte Siegfried: ‚3 und
8 sind 11'. ‚Ja, richtig,' hat der Lehrer gesagt. Heute haben
wir wieder addiert, und er fragte mich: ‚Heini, wieviel sind
5 + 6 = ?' Ich habe geantwortet: ‚Ich weiss es nicht, Herr
Lehrer!' Niemand hat es gewusst. Dann hat uns der Lehrer
gesagt: ‚5 + 6 = 11. Ihr müsst das nicht vergessen!' Aber
Tante, wie ist es möglich? Gestern waren 3 + 8 = 11, und
heute sind 5 + 6 = 11?"
   Die Tante ist dann hinausgegangen und ist mit einer
Schachtel Streichhölzer zurückgekommen. Sie hat die Streichhölzer vor Heini hingelegt und gesagt:
   „Nimm 11 Streichhölzer daraus, und ich werde dir zeigen,
wie man auf verschiedene Art 11 bekommen kann, und rede
von deinem Lehrer kein dummes Zeug mehr!"
   Heini hat dann die Streichhölzer zu zählen angefangen.
Bald ist auch seine Mutter gekommen. Frau Winter erzählte
ihrer Schwester über Heinis dummes Geschwätz. Dann ist
Frau Winter hinausgegangen, um das Mittagessen fertig zu
machen. Heini ist mit seiner Mutter allein geblieben, und sie
hat ihn gehörig ausgescholten.
   Um 2 Uhr sind Hannelore und Klaus aus der Schule zurückgekommen. Dann haben sie sich alle an den Tisch gesetzt.
Die Geburtstagsfeier hat damit angefangen.

ZUM LERNEN

Er macht sich auf den Weg.	He goes on his way, sets off.
Sie hat ihn lieb.	She loves him.
eine Frage stellen	to ask a question
Ich will kein dummes Zeug hören.	I do not want to listen to nonsense.
recht haben	to be right
unrecht haben	to be wrong

GRAMMATIK

1. The past participle of separable verbs

   Separable verbs form their past participle by inserting
the prefix **ge-** between the separable part and the stem.

Examples:

Die Vorstellung hat schon angefangen.
Heini hat das Fenster zugemacht.
Sie ist spät zurückgekommen.
Er hat sich auf die Couch hingelegt.

2. The past participle of modal auxiliary verbs:

können	gekonnt
müssen	gemusst
sollen	gesollt
wollen	gewollt
dürfen	gedurft
mögen	gemocht

These forms are only used as independent past participles in compound tenses.

Examples:

Haben Sie wirklich diese Arbeit gewollt?
Ich habe die Suppe nicht gemocht.
Durfte er spät nach Hause kommen? Nein, er hat es nie gedurft.

The past participles of modal auxiliary verbs are identical with their infinitives when they are connected with the infinitive of another verb.

Examples:

Er hat nie spät nach Hause kommen dürfen.
Heini hat seine Schularbeit nicht machen können.

3. Use of sondern (but = on the contrary).

The conjunction *sondern* is to be used only when:
(a) the first statement is in the negative,
(b) the second statement is opposed to the first,
(c) each statement has the same subject.

Examples:

Meine Freundin geht heute nicht aus, sondern sie bleibt zu Hause.
Das Wetter ist nicht warm, sondern sehr kalt.

AUFGABEN

1. Beantworten Sie folgende Fragen:

(1) Wohin ist der kleine Heini am Mittwoch nach der Schule gegangen?

(2) Warum ging der kleine Heini nach der Schule zu seiner Tante?

(3) Besucht Heini schon lange die Schule?

(4) Wer hat den Schulkindern Fragen gestellt?

(5) Was haben die Kinder tun müssen?

(6) Wann hat Heinis Mutter ihm helfen müssen?

(7) Warum hat Frau Winter den kleinen Jungen unterbrechen müssen?

(8) Was hat Heini beim Kopfrechnen nicht verstehen können?

(9) Was hat Frau Winter vor Heini hingelegt?

(10) Was hat Heini damit getan?

(11) Was erzählte Frau Winter ihrer Schwester?

(12) Um wieviel Uhr hat die Geburtstagsfeier angefangen?

2. Schreiben Sie im Perfekt:

(a) (1) Der Zug kommt an, und wir steigen schnell ein.

(2) Der Schauspieler ruft das Theaterbüro an.

(3) Im Januar geht die Sonne spät auf.

(4) Ich weise die Eintrittskarte am Eingang vor.

(5) Am Abend kurz vor der Vorstellung kleidet sich der Herr um.

(6) Wir schauen dem Fussballspiel zu.

(7) Frau Winter denkt lange nach, dann schreibt sie alles auf.

(8) Meine jungen Freunde gehen sehr oft aus.

(9) Herr Winter gibt viel Geld für die Weihnachtsgeschenke aus.

(10) Klaus zieht seinen neuen Anzug an.

(b) (1) Ich kann die Aufgabe nicht machen.

(2) Der kleine Junge will das Gedicht nicht lernen.

(3) Am Abend dürfen wir nicht allein ausgehen.

(4) Frau Winter soll ihre alte Freundin besuchen.

(5) Mein Vater mag alte Zeitungen nicht lesen.
(6) Der Gepäckträger muss die Fahrkarten lösen.
(7) Das kleine Mädchen mag keinen Blumenkohl.
(8) Der Briefträger will kein Trinkgeld nehmen.
(9) Der Lehrer muss einen langen Brief schreiben.
(10) Meine Gäste wollen diesen langen Film nicht sehen.

3. Übersetzen Sie ins Englische:

Am letzen Wochenende habe ich ins Kino gehen wollen, aber ich habe zu Hause bleiben müssen. Gleich nach dem Mittagessen habe ich mich sehr müde gefühlt. So bin ich auf mein Zimmer hinaufgegangen und habe mich aufs Bett gelegt. Nach zwei Stunden habe ich mich besser gefühlt, deshalb bin ich aufgestanden und hinuntergegangen.

Ich habe meine Familie im Wohnzimmer vorgefunden. Die Kinder sassen bei ihren Schularbeiten, denn sie haben sie schon am Samstag fertigmachen wollen.

Else ist gleich zu mir gekommen und hat mir eine Aufgabe gezeigt: ,,Schau, Vati, bei dieser Aufgabe habe ich unserem kleinen Paul helfen müssen. Er hat sie ohne meine Hilfe nicht machen können. Ich habe eine Schachtel Streichhölzer aus der Küche hereingebracht und Paul gezeigt, wie leicht man damit addieren kann. Bald hat er alle anderen Aufgaben machen können, und ist sehr froh darüber gewesen.‘‘

,,Das ist sehr nett von dir gewesen, liebe Else, dass du deinem kleinen Bruder geholfen hast. Aber hast du auch Zeit für deine Schulaufgaben gehabt? Jetzt wirst du sie am Sonntag machen müssen.‘‘

,,O nein, Vati, ich werde schon heute abend mit allem fertig werden, ich werde nicht viel Zeit dazu brauchen.‘‘

4. Bilden Sie Sätze aus jeder Wortgruppe:

(a) nicht können machen ich diese Aufgabe habe schwere.
(b) ins Kino dürfen nicht gehen hat er.
(c) ausgehen hat nicht Peter wollen.
(d) nie spät hat nach Hause dürfen Hannelore kommen.

LEKTION 14

ALLES GEHT SCHIEF

Am Freitag, den 13. März ist bei Winters alles schief gegangen. Herr Winter hat sich im Badezimmer rasiert. Als er seine Brille wieder aufsetzen wollte, ist ihm etwas sehr Unangenehmes passiert: er hat den Rahmen an zwei Stellen zerbrochen. Er war ganz verzweifelt. Dann hat er sich erinnert, dass er seine alte Brille im Schreibtisch verwahrt hatte. So hat er sich ein wenig beruhigt, als er die alte Brille an Ort und Stelle fand. Die zerbrochene Brille wird er nun reparieren lassen müssen. Es wird ein paar Tage dauern, bis sie repariert ist. Als Herr Winter eben nach unten gehen wollte, ist Klaus in der Tür seines Zimmers erschienen. Auch ihm ist etwas passiert. Das hat man von seinem Gesicht ablesen können.

„O Vater," stöhnte er, „ich habe das Glas meiner Weckuhr, die ich vom Grossvater bekommen habe, zerbrochen."

„Aber Klaus, warum bist du so unvorsichtig gewesen?"

„Verzeihe, Vati, aber ich kann nicht verstehen, wie das passiert ist. Als der Wecker klingelte, habe ich nach ihm gegriffen, und da ist er mir aus der Hand gefallen."

„So, so . . . du wirst dann heute zum Uhrmacher gehen müssen und die Uhr reparieren lassen."

Kaum ist der Vater ins Speisezimmer hineingegangen, da hört er Hannelore in der Halle laut aufschreien. Klaus stürzt gleich aus dem Zimmer. Hannelore hat sich schon vom Schreck erholt und ist aufgestanden. Da hat Klaus laut gelacht:

„Aber Hannelore, wie siehst du denn aus! Du hast dein Kleid verkehrt angezogen!"

„Bitte lache nicht über mich! Schau mal her, wie die Katze mir das Bein zerkratzt hat, und dazu habe ich noch eine Laufmasche im Strumpf bekommen. Als ich die Treppe hinunterstieg, habe ich die Katze nicht gesehen, so bin ich ihr auf die Pfote getreten und bin über sie gestolpert und die Treppe hinuntergerutscht. Jetzt muss ich schnell auf mein Zimmer zurück. Entschuldige mich bei Mutter."

Klaus ist in das Esszimmer zurückgegangen und hat seinen Eltern erzählt, was seiner Schwester eben passiert ist. Die Eltern haben sich beruhigt und haben zu frühstücken begonnen.

Da hat Herr Winter das Gesicht verzerrt und aufgeschrien:

„Was soll das heissen? Salz im Kaffee! Ich kann dieses Zeug nicht trinken!"

Da ist Frau Winter rot vor Aufregung geworden:

„Lieber Rudolf, verzeihe mir! Ich muss mich mit den Dosen versehen haben. Ich habe Salz anstatt Zucker in die Zuckerdose geschüttet."

Herr Winter und Klaus lachten beide:

„Heute ist ein verdrehter Tag: jedem von uns ist etwas schief gegangen. Hoffentlich geht das nicht so weiter."

ZUM LERNEN

Schau mal her!	Look here!
Alles geht schief. *crooked or bent*	everything goes wrong.
an Ort und Stelle.	on the spot.
Was soll das heissen!	What is the meaning of that!
Ich muss mich versehen haben.	I must have made a mistake.
Entschuldigen Sie mich.	Excuse me.
Sie hat sich bei ihrer Mutter entschuldigt.	She apologized to her mother.

GRAMMATIK

1. **Verbs ending in -ieren** do not take the prefix **ge-** in the past participle.

Examples:

rasieren, passieren, reparieren, spazieren.
Er hat sich rasiert.
Der Uhrmacher hat den Wecker repariert.
Das ist mir noch nie passiert.
Wir sind in der Stadt oft herumspaziert.

2. **Verbs with inseparable prefixes be-, er-, ent-, ver-, zer-** also do not take the prefix **ge-**

Examples:

Die Vorstellung hat begonnen.
Der alte Mann hat eine lustige Geschichte erzählt.
Die Katze hat die teure Vase zerbrochen.

3. **To have something done** is expressed in German by the verb **lassen**, preceded by the infinitive.

Examples:

Ich muss die Uhr reparieren lassen. I have to have my watch repaired.
Ich muss mir ein Kleid machen lassen. I have to have a dress made.

Note: the perfect tense of *lassen* is formed in the same way as the perfect tense of modal auxiliaries.

Example:

Er hat den Wagen waschen lassen.

AUFGABEN

1. **Beantworten Sie folgende Fragen:**

(1) An welchem Tag ist bei Winters alles schief gegangen?
(2) Wo hat sich Herr Winter rasiert?
(3) Was ist ihm passiert?
(4) Wo hat er seine alte Brille verwahrt?
(5) Was wird er mit der zerbrochenen Brille machen müssen?
(6) Was ist seinem Sohn passiert?
(7) Was muss Klaus mit seinem Wecker machen müssen?
(8) Wo findet Klaus Hannelore und was ist ihr passiert?
(9) Wie hat sie ihr Kleid angezogen?
(10) Warum ist sie die Treppe hinuntergestürzt?
(11) Warum hat Herr Winter das Gesicht verzerrt?
(12) Bei wem hat sich Frau Winter enschuldigt?

2. Schreiben Sie im Perfekt:

(1) Der alte Onkel rasiert sich noch jeden Tag.

(2) Das passiert mir sehr oft.

(3) Diese Zeitung erscheint nur sonntags.

(4) Mein Vater repariert selbst unsere Uhren.

(5) Hannelore bekommt immer zum Geburtstag schöne Geschenke.

(6) Meine Putzfrau ist sehr unvorsichtig und zerbricht dann und wann ein Glas oder eine Tasse.

(7) Am Abend erzählt die Grossmutter den Kindern alte Märchen.

(8) Herr Winter verzeiht seiner Frau ihr Versehen.

(9) Das kranke Kind verzerrt immer das Gesicht, wenn es den Arzt sieht.

(10) Mein Freund erholt sich von seiner Krankheit in der Schweiz.

(11) Diese Medizin beruhigt meine kleine Schwester.

(12) Ich verwahre nie mein Geld im Schreibtisch.

3. Ergänzen Sie:

(1) D . . . . jung . . . . Mädchen beruhigte d . . . . un-glücklich . . . . Junge. . . . .

(2) Nach ei . . . . kurz . . . . Spaziergang esse ich in ei . . . . gut . . . . Restaurant zu Mittag.

(3) Heini, wie gefällt dir dei . . . . neu . . . . Lehrer?

(4) Wegen d . . . . schlecht . . . . Wetter . . . . musste ich . . . . Hause bleiben.

(5) Mei . . . . klein . . . . Bruder will d . . . . lang . . . . Ge-dicht nicht lernen.

(6) Nächst . . . . Wochenende gehe ich mit mei . . . . alt . . . . Freund in d . . . . neu . . . . Kino.

(7) Wir blieben d . . . . ganz . . . . Nachmittag in d . . . . schön . . . . Park.

(8) Sie freuen sich über d . . . . glücklich . . . . Stund . . . ., d . . . . sie bei ihr . . . . Tante verbracht haben.

(9) D . . . . alt . . . ., nervös . . . . Frau konnte das Ge-schrei klein . . . . Kinder nicht vertragen.

(10) Hilde, d .... Freundin meiner.. Mutter, liest nur
gute ... Bücher.

4. Übersetzen Sie ins Englische:

Letzten Mittwoch war das Wetter nicht zu kalt, und ich
bin mit meiner Freundin Liese zur Schlittschuhbahn ge-
gangen. Es hat uns da sehr gefallen. Die Musik hat schöne
Melodien gespielt. Wir haben ab und zu mitgesungen.
Plötzlich ist ein kleiner Junge zwischen uns gestürzt.
Meine Freundin ist gestolpert und auf das Eis gefallen.
Sie hat den Jungen gehörig gescholten:

„Du dummer Junge, warum bist du so unvorsichtig?
Warum schaust du nicht, wohin du läufst?"

Aber der Junge sah sehr unglücklich aus, denn seine
Brille lag zerbrochen auf dem Eis, und er weinte bitterlich.
Dann hat er sich bei meiner Freundin entschuldigt. Sie
hat ihn beruhigt:

„Es tut mir leid, dass dir das passiert ist, ich habe dir
schon verziehen."

Wir haben dann den unglücklichen Jungen in den Erfrischungsraum mitgenommen. Bald haben wir uns von
dem Schreck erholt, aber wir sind nicht mehr auf das Eis
zurückgekehrt, sondern haben uns auf den Weg nach
Hause gemacht.

LEKTION 15

Wiederholung

EIN UNFALL

Letzten Mittwoch war Klaus Zeuge eines schweren Verkehrsunfalls. An diesem Tag fuhr Klaus um ½8 Uhr mit seinem Fahrrad zur Schule. Die Strasse war sehr nass, da es während der ganzen Nacht stark geregnet hatte. Als er an eine Strassenkreuzung kam, zeigte die Verkehrsampel rot, und Klaus blieb stehen. Aber ein Auto, das aus der entgegengesetzten Richtung kam, fuhr zu schnell. Als der Fahrer bremsen wollte, schleuderte das Auto in die Mitte der Kreuzung. Ein Lastwagen, der von links kam, stiess mit dem Auto zusammen, und riss es einige Meter mit.

Ein Polizist, der an der Kreuzung stand, telefonierte sofort um einen Krankenwagen und um die Feuerwehr.

Der ganze Verkehr wurde lahmgelegt. Die Insassen des Autos schienen schwer verletzt zu sein, und die Unglücksstelle sah wie ein Schlachtfeld aus. Bald sammelte sich eine grosse Menschenmenge. Der Polizist bat Klaus sein Fahrrad gegen eine Hauswand zu lehnen und zu warten.

Es dauerte nicht sehr lange, bis man die Sirene des Krankenwagens hören konnte. Auch die Feuerwehr und ein Polizeiwagen trafen bald ein.

Die beiden Insassen des Autos sahen schwer verletzt aus. Man trug sie auf Tragbahren zum Krankenwagen. Die Feuerwehr wusch inzwischen das Benzin und auch das Blut von der Strasse. Später hoben sie das beschädigte Auto an den Strassenrand. Der Lastwagen schien nicht schwer beschädigt zu sein.

Nach einer Weile kam der Polizist zu Klaus zurück und schrieb Klaus' Namen und Adresse auf, da er Zeuge des Unfalls war. Nachher machte sich Klaus wieder auf den Weg zur Schule, wo er eine halbe Stunde zu spät kam.

Als Klaus am Abend die Zeitung in die Hände nahm, konnte er darin lesen, dass der Fahrer des Wagens auf dem Weg zum Krankenhaus gestorben war. Der andere Verletzte hatte sich den rechten Arm gebrochen, und er hatte auch andere schwere Körperverletzungen.

Später erzählte Klaus seinem Vater über den Unfall. Sein Vater warnte ihn und sagte:

„Im Strassenverkehr muss man immer sehr vorsichtig sein, denn viele Unfälle passieren, weil heutzutage manche Leute sehr unvorsichtig sind.

AUFGABEN

1. Beantworten Sie folgende Fragen:

(1) An welchem Tag war Klaus Zeuge eines schweren Verkehrsunfalls?

(2) Wo passierte der Verkehrsunfall?

(3) Warum passierte der Unfall?

(4) Was machte der Polizist?

(5) Wer schien schwer verletzt zu sein?

(6) Was musste Klaus mit seinem Fahrrad tun?

(7) Was konnte man bald hören?

(8) Wer traf auf der Unfallstelle ein?

(9) Wie trug man die Verletzten zum Krankenwagen?

(10) Was machte die Feuerwehr?

(11) Warum schrieb der Polizist Klaus' Namen und Adresse auf?

(12) Was las Klaus am Abend in der Zeitung?

2. Schreiben Sie im Imperfekt und Perfekt:

Onkel Hans, der in Amerika wohnt, will uns heute besuchen. Er fliegt mit seinem Freund, den wir nicht kennen, von New York nach Frankfurt. Unser Onkel will in einem Hotel bleiben, aber wir wollen das nicht, er muss bei uns wohnen. Wir haben in unserem Hause für ihn genug Platz, und sein amerikanischer Freund kann auch bei uns bleiben.

Am Vormittag hole ich ihn und seinen Freund mit dem Wagen vom Flugplatz ab. Ihr Flugzeug landet pünktlich, und nach ein paar Minuten kommen sie aus der Zollhalle heraus. Ich begrüsse meinen Onkel und seinen Freund und nehme ihre beiden Koffer und trage sie zum Wagen. Sein Freund, der ein sehr netter Herr ist, hilft mir. Bald kommen wir zu Hause an. Meine Eltern begrüssen die Gäste und zeigen ihnen ihre Schlafzimmer. Dann gehen wir alle ins Speisezimmer und essen zu Mittag. Mein Vater freut sich sehr über den Besuch seines Bruders, und sie sprechen viel miteinander. Nach dem Mittagessen trinken wir im Wohnzimmer Kaffee. Onkel Hans erzählt uns von seiner langen Reise, und dann gibt er mir auch ein sehr schönes Geschenk. Leider kann er nur zwei Wochen in Frankfurt bleiben, denn er will noch Österreich und Italien besuchen. Ende dieses Monats muss er mit seinem Freund wieder nach Amerika zurückkehren.

3. **Geben Sie die richtige Konjunction (als, wenn oder wann):**

(1) .... ich morgens müde bin, stehe ich nicht früh auf.

(2) Der Mechaniker weiss nicht, ... er das Auto reparieren kann.

(3) .... der Zug endlich ankam, hatte er zwei Stunden Verspätung.

(4) Bitte können Sie mir sagen, ... der Zahnarzt Sprechstunde hat?

(5) .... es abends regnet, bleiben wir zu Hause und hören Radio oder lesen ein Buch.

(6) Wissen Sie, ... Sie uns wider besuchen können?

(7) .... ich letzte Woche in Zürich war, schneite es den ganzen Tag.

(8) Mein Freund geht gern ins Kino, ... ein guter Reisefilm läuft.

(9) .... Weihnachten vorüber war, bemerkte ich, dass ich kein Geld hatte.

(10) Bitte können Sie mir sagen, ... wir in Frankfurt
ankommen?

(11) Mein Vater speist immer in einem Restaurant, ...
meine Mutter auf Urlaub ist.

(12) . . . . Onkel Karl nach Hause kam, war er sehr krank.

4. Ergänzen Sie:

(My) Freund Helmut (fahren) heute um 13.40 Uhr
mit d . . . D Zug nach Hamburg. Er (besuchen) dort (his)
Onkel Franz, d . . . . in Hamburg ei . . . . sehr schön . . . .
und gross . . . . Haus (haben). Nach d . . . . Mittagessen
(fahren) er zu . . . . Bahnhof und (lösen) (his) Fahrkarte.
Auf d . . . . Bahnsteig (kaufen) er einig . . . . Zeitungen,
damit ihm d . . . . Reise nicht langweilig (werden).
Helmut (steigen) in d . . . . Zug ein, und (suchen) ei . . . .
leer . . . . Abteil, damit er (lesen) (können). Er (gehen) in
ei . . . . Abteil, in d . . . . ei . . . . hübsch . . . ., blond . . . .
Mädchen (sitzen). Bald (sprechen) sie miteinander, und
sie (plaudern) d . . . . ganz . . . . Zeit. Als sie in Hamburg
(ankommen), (bemerken) er, dass er kei . . . . Zeit (haben
Imperf.), (his) Zeitungen während d . . . . Reise zu lesen.

5. Bilden Sie Sätze aus jeder Wortgruppe:

(a) war Zeuge Herr Müller letzten Sonntag eines
Verkehrsunfalls.

(b) die Verkehrsampel als zeigte rot, ein Auto stehen
nicht blieb.

(c) telefonierte um der Polizist Krankenwagen einen, verletzt die Insassen waren da.

(d) passieren heutzutage Verkehrsunfälle so viele,
sehr unvorsichtig fahren Leute manche weil.

6. Schreiben Sie ungefähr 80-100 Worte über eines der folgenden Themen:

1. Ein Abend zu Hause.
2. Ein Ausflug.
3. Meine Freunde.

LEKTION 16

BESUCH AUS ENGLAND

Hannelore hat ihre Freundin Elisabeth, mit der sie seit zwei Jahren korrespondiert, zu Ostern nach Frankfurt eingeladen. Elisabeth ist siebzehn Jahre alt und wohnt in Manchester.

Am Anfang der Karwoche hat Hannelore von Elisabeth einen Brief erhalten. Nun wusste sie, dass ihre Freundin am Karfreitag um 11.08 Uhr am Frankfurter Flughafen ankommen wird. Hannelore freute sich sehr auf ihren Besuch. Klaus studierte schon seit einer Woche ein englisches Lehrbuch, damit er besser Englisch sprechen kann. Er hat bereits ein Bild von Elisabeth gesehen, und er war überzeugt, dass die englische Freundin ein sehr hübsches Mädchen ist, viel hübscher als alle Mädchen, die er kennt. Deshalb freute er sich auch auf den Besuch.

Am Karfreitag standen die Geschwister sehr früh auf. Nach $\frac{1}{2}$11 Uhr brachte Herr Winter seine Kinder mit dem Wagen zum Flughafen. Auf dem Flugplatz erfuhren sie, dass Elisabeths Flugzeug eine halbe Stunde Verspätung hatte.

Endlich verkündete der Lautsprecher die Ankunft des Fluges aus Manchester. Hannelore war nun sehr aufgeregt, denn in ein paar Minuten würde sie Elisabeth zum ersten Mal treffen. Als ihr englische Freundin aus der Zollhalle herauskam, erkannte Hannelore sie sofort und lief auf sie zu. Die beiden Mädchen begrüssten einander, und dann stellte Hannelore sie ihrem Vater und ihrem Bruder vor. Klaus sagte zu Elisabeth:

„Herzlich willkommen in Frankfurt," und schüttelte ihr die Hand. Dann nahm er ihren Koffer und trug ihn zum Wagen. Hannelore fragte ihre Freundin:

„Wie war der Flug?"

„Er war herrlich," antwortete Elisabeth, „es war die schnellste Reise, die ich je gemacht habe. Der Flug dauerte nur zweieinhalb Stunden; mit dem Zug dauert es viel länger. Ich reise gern mit dem Zug, aber ich fliege lieber."

„Musstest du auch etwas verzollen?" fragte Hannelore.

„Nein, ich brauchte nichts zu verzollen; eure Zollbeamten sind wirklich höflicher als die unseren."

Endlich stiegen sie in den Wagen ein und fuhren nach Hause. Herr Winter bemerkte, dass Elisabeth sehr gut Deutsch konnte und sagte zu ihr:

„Fräulein Elisabeth, Sie können sehr gut Deutsch, viel besser als ich dachte."

„Sie sind sehr höflich, Herr Winter," antwortete Elisabeth, „aber leider denkt meine Lehrerin anders. Sie sagt immer, dass ich nicht genug lerne. Ich lerne Deutsch sehr gerne, Französisch lieber, aber Latein am liebsten."

Sie fuhren durch die Stadtmitte, die Elisabeth sehr gut gefiel. Herr Winter fuhr etwas langsamer, so dass Elisabeth mehr davon sehen konnte.

„Die Häuser sind hier sehr modern, viel moderner als in Manchester," sagte sie zu Hannelore, „vielleicht können wir morgen in die Stadt gehen, ich möchte alles sehen, was hier sehenswürdig ist."

„Da bin ich bereit, dir zu helfen. Ich werde dir alle Sehenswürdigkeiten von Frankfurt zeigen. Wir fangen gleich morgen an, denn ich muss in die Stadt fahren, um Einkäufe zu machen. Die besten Geschäfte sind in der Stadtmitte, leider sind sie auch die teuersten."

Die Fahrt dauerte nicht sehr lange, und bald waren sie zu Hause. Frau Winter begrüsste Elisabeth. Dann sagte sie zu ihrem Mann:

„Ihr seid schnell zurückgekommen, ich habe euch vor 1 Uhr nicht erwartet."

„Die Strassen waren ziemlich leer, daher konnten wir viel schneller fahren," antwortete Herr Winter.

„Hoffentlich wird das Wetter jetzt etwas wärmer werden," sagte Frau Winter zu Elisabeth, „damit Sie einen schönen Aufenthalt bei uns haben. Gestern war es wirklich kalt. Es ist seit zwölf Jahren der kälteste Gründonnerstag in Frankfurt gewesen.

Nun Kinder, das Mittagessen ist fertig; bitte setzt euch an den Tisch, sonst wird das Essen kalt."

Klaus führte Elisabeth und Hannelore ins Speisezimmer, Herr und Frau Winter folgten. Alle setzten sich an den Tisch und assen mit grossem Appetit das ausgezeichnete Mittagessen.

ZUM LERNEN

zu Ostern	at Easter
zum ersten Mal	for the first time
herzlich willkommen	welcome (hearty welcome)
sich die Hände schütteln	to shake hands
sie läuft auf sie zu	she runs up to her

GRAMMATIK

1. Comparison of adjectives

In German the adjectives form their comparative and superlative like the English short adjectives, by adding **-er** and **-(e)st** respectively.

schön	schöner	schönst
schnell	schneller	schnellst
gesund	gesünder	gesündest
aufmerksam	aufmerksamer	aufmerksamst

attentive

The comparative and superlative forms are declined, when they precede a noun.

Singular

Nom.	der schönere Wagen
Acc.	den schöneren Wagen
Gen.	des schöneren Wagens
Dat.	dem schöneren Wagen

Nom.	ein schönerer Wagen
Acc.	einen schöneren Wagen
Gen.	eines schöneren Wagens
Dat.	einem schöneren Wagen

Nom.	der schönste Wagen
Acc.	den schönsten Wagen
Gen.	des schönsten Wagens
Dat.	dem schönsten Wagen

Plural

Nom.	die schöneren Wagen
Acc.	die schöneren Wagen
Gen.	der schöneren Wagen
Dat.	den schöneren Wagen

Nom.	schönere Wagen
Acc.	schönere Wagen
Gen.	schönerer Wagen
Dat.	schöneren Wagen

Nom.	die schönsten Wagen
Acc.	die schönsten Wagen
Gen.	der schönsten Wagen
Dat.	den schönsten Wagen

Most adjectives of one syllable take the Umlaut in the comparative and superlative:

arm	ärmer	ärmst
dumm	dümmer	dümmst
lang	länger	längst

Adjectives ending in -d, -t, -ss, -st, -sch and -z add **-est** in the superlative:

gesund	gesündest
kalt	kältest
heiss	heissest
frisch	frischest
kurz	kürzest

Irregular adjectives:

gross	grösser	grösst
gut	besser	best
hoch	höher	höchst
nah	näher	nächst
viel	mehr	meist

2. Comparison of Adverbs

Adverbs form their comparative like adjectives but they are not declined.

Examples:

Meine Mutter singt schön, aber meine Schwester singt schöner.

When the superlative is used as an adverb or as a predicative adjective it takes **am** and adds **-en**:

Examples:

Er arbeitet am fleissigsten.
Dieser Wagen fährt am schnellsten.
Jenes Haus ist am schönsten.
Hier beim Feuer ist es am wärmsten.

Irregular adverbs:

bald	{ eher { früher	am ehesten
gern	lieber	am liebsten
gut	besser	am besten
viel	mehr	am meisten

Examples:

Ich esse Bananen gern, Äpfel lieber und Aprikosen am liebsten.

Mein Bruder spielt gut Tennis, sein Freund spielt besser, aber seine Freundin spielt am besten.

AUFGABEN

1. Beantworten Sie folgende Fragen:

(1) Wen hat Hannelore zu Ostern nach Frankfurt eingeladen?

(2) Wie alt ist ihre Freundin und wo wohnt sie?

(3) Worauf freute sich Hannelore?

(4) Wann kam Elisabeth in Frankfurt an?

(5) Wer holte den Besuch vom Flughafen ab?

(6) Wie lange mussten sie auf die Ankunft des Flugzeuges warten?

(7) Erkannte Hannelore sofort ihre Freundin?
(8) Hat Elisabeth die Stadmitte gefallen?
(9) Wer wird am nächsten Tag in die Stadt einkaufen gehen?
(10) Welche Geschäfte sind in der Stadmitte?
(11) Wer begrüsst Elisabeth zu Hause?
(12) Wer hat die Kinder zu Tisch gebeten, und wer hat sie ins Speisezimmer geführt?

2. Deklinieren Sie im Singular und Plural:

der fleissigere Schüler
der kürzeste Weg
die ältere Frau
die längste Reise
das schönste Kleid
sein liebstes Buch

3. Geben Sie den Komparativ und Superlativ von:

(a) *Beispiel*:

der schöne Mantel
der schönere Mantel
der schönste Mantel

der gute Kaffee
die neue Kirche
das moderne Haus
in dem warmen Zimmer
mit dem langsamen Omnibus
aus der alten Kirche
für das grosse Kind
durch den kalten Keller
die frischen Brötchen
die heissen Tage

(b) *Beispiel*:

Peter ist fleissig, Kurt ist fleissiger, aber Heinz ist am fleissigsten.

(1) Die Türme des Kölner Domes sind hoch, der Turm in Blackpool ist . . . ., aber der Eiffelturm ist . . . . .

(2) Die Tomatensuppe schmeckt gut, die Ochsenschwanzsuppe schmeckt mir . . . ., aber eine echte Schildkrötensuppe schmeckt mir . . . . .

(3) Ich spreche laut, mein Vater spricht . . . ., aber mein
Lehrer spricht . . . . .

(4) Mein Sohn isst Äpfel gern, Bananen isst er . . . ., aber
Aprikosen isst er . . . . .

(5) Seine Kinder sind artig, Ihre Kinder sind . . . ., aber
Frau Winters Kinder sind . . . . .

(6) Unser Garten ist klein, dieser Garten ist *kleiner*, aber
jener Garten ist *am kleinsten*

(7) Das Motorrad fährt schnell, das Auto fährt . . . ., aber
der Zug fährt . . . . .

(8) Im Sommer ist es in Deutschland heiss, in Italien ist es
. . . ., aber in Afrika ist es *am heissesten*

4. Ergänzen Sie:

(1) D . . . . ist mei . . . . neu . . . . Wagen.

(2) D . . . . alt . . . . Grossvater fährt . . . . d . . . . Zug . . . .
London.

(3) Dies . . . . langweilig . . . . Film interessiert m . . . .
nicht.

(4) Er geht . . . . d . . . . Ufer d . . . . breit . . . . Fluss . . . .
und beobachtet dort d . . . . Schiffe.

(5) D . . . . jung . . . . Leute wollen nicht gern . . . . Hause
bleiben.

(6) Sein *e* . . . Kinder freuen sich *auf* d *en* . Besuch d *er* . .
Grossmutter.

LEKTION 17

HANNELORE UND ELISABETH MACHEN EINKÄUFE

Gleich nach dem Frühstück fuhren Hannelore und Elisabeth am Karsamstag mit der Strassenbahn in die Stadt. Sie wollten Einkäufe machen und die Stadt besichtigen.

Klaus wollte auch mitkommen, aber er hatte sich noch nicht rasiert, und deshalb versprach er, sie später um 11 Uhr vor dem Rathaus zu treffen.

Zuerst bewunderten die beiden Mädchen die Schaufenster der grossen Warenhäuser. Elisabeth interessierte sich besonders für Lederwaren, die in Deutschland nicht so teuer sind wie in England. In einem Schaufenster waren sehr schöne lederne Hand-, Brief- und Aktentaschen. Die junge Engländerin wollte gern eine braune Handtasche haben; deshalb traten die beiden Mädchen in das Warenhaus ein und suchten die Lederwarenabteilung, die sie im 2. Stock fanden.

Die Verkäuferin zeigte Elisabeth allerlei Handtaschen zu verschiedenen Preisen. Nachdem sie die grosse Auswahl gesehen hatte, wählte sie sich eine mittelgrosse, braune Handtasche. Sie freute sich über ihren Kauf, da die neue Tasche viel eleganter als ihre alte war. Die Mädchen waren guter Laune und gingen ins Café des Warenhauses. Es befand sich im 4. Stock. Nachdem sie zwei Tassen Kaffee und zwei Stück Torte bestellt hatten, sahen sie sich die illustrierten Zeitschriften an. In einer waren die neuesten Moden. Als Hannelore und Elisabeth eine halbe Stunde im Café gesessen hatten, verliessen sie das Warenhaus, um noch die Schaufenster anderer Warenhäuser zu besichtigen.

Kurz vor 11 Uhr gingen sie zum Rathaus, um Klaus dort zu treffen. Er wartete bereits vor dem Eingang des Rathauses. Klaus zeigte Elisabeth einige Sehenswürdigkeiten im Stadtzentrum und auch das Goethehaus. Elisabeth gefiel Frankfurt und sie fand auch das Goethehaus interessant.

Als sie aus dem Goethehaus herausgekommen waren, sagte
Hannelore:

„Wir müssen uns beeilen, denn das Mittagessen wird um
2 Uhr fertig sein, und wir müssen noch viele Besorgungen
machen."

Obwohl Klaus nichts vor dem Mittagessen zu tun hatte,
wollte er nicht mitgehen, denn Geschäfte interessieren ihn
nicht. Bei der nächsten Haltestelle verabschiedete er sich und
fuhr mit der nächsten Strassenbahn nach Hause.

Auf dem Heimweg besorgten die Mädchen Lebensmittel für
die Feiertage. In einem Delikatessengeschäft kaufte Hannelore
ein Pfund gekochten Schinken, zwei Pfund Butter, ein halbes
Pfund Käse, zwei Dosen Ölsardinen und eine Dose kana-
dischen Lachs.

„O, ich habe die Frankfurter vergessen," erinnerte sich
Hannelore, und sie ging zum Ladentisch zurück und sagte
zum Verkäufer:

„Bitte geben Sie mir noch anderthalb Pfund Frankfurter
Würstchen."

Nachdem sie alles eingekauft hatten, machten sich die beiden
Mädchen auf den Heimweg. Auf dem Weg zur Haltestelle
begegneten sie Herrn Reitner, einem Nachbarn der Familie
Winter. Hannelore stellte ihrer Freundin Herrn Reitner vor.
Als Herr Reitner die grossen, vollen Einkaufstaschen sah, fuhr
er die Mädchen mit seinem Wagen nach Hause.

ZUM LERNEN

Sie besuchten das Goethe-haus.	They visited the house where Goethe was born.
Besorgungen machen	to go shopping

GRAMMATIK

1. The Pluperfect tense

In German the pluperfect tense is formed by using the
imperfect tense of haben or sein as auxiliaries, and the
past participle of the verb.

The pluperfect tense is used to describe an action in the past which happened before another action in the past.

Examples:

Als er seine Aufgaben gemacht hatte, durfte er ins Kino gehen.

Nachdem wir den ganzen Tag mit dem Wagen gefahren waren, kamen wir endlich an der Grenze an.

2. **Comparison of Adjectives and Adverbs (continued)**
Dieser Turm ist beinahe **so** hoch **wie** der Eiffelturm.

    so . . . . *wie* is used for *as* . . . . *as*

Ich bin zwei Jahre älter **als** mein Bruder.

als is used for *than* if two persons or things are compared.

Je länger Sie bei uns bleiben können, **desto** mehr werden wir uns freuen.

    je . . . . *desto* is used for *the* . . . . *the*.

Die Tage werden **immer länger**.

    immer länger is used for *longer and longer*
    immer lauter is used for *louder and louder*, etc.

3. **The partitive article**, *some*, *any*, is not used in German before nouns denoting common articles of food. Such nouns do not take any article at all.

Frau Winter kauft Schinken und Käse.

but Sie kauft keinen Käse.

4. **Measurements**
Masculine and neuter nouns denoting measurements do not take the plural. Feminines, however, do take the plural.

Masculine and Neuter	*Feminine*
ein Glas Wasser	zwei Tassen Kaffee
zwei Glas Bier	drei Dosen Milch
ein Pfund Butter	vier Tonnen Mehl
drei Pfund Käse	**but** zehn Mark
dreissig Pfennig	
zwei Kilo Äpfel	
drei Fuss lang	

AUFGABEN

1. Beantworten Sie folgende Fragen:

(1) Womit fuhren Hannelore und Elisabeth am Karfreitag in die Stadt?

(2) Warum konnte Klaus nicht mitkommen?

(3) Was wollten die Mädchen in der Stadt machen?

(4) Wofür interessierte sich Elisabeth?

(5) Was kaufte die Engländerin?

(6) Warum freute sich Elisabeth über den Kauf?

(7) Was machten die beiden Freundinnen im Café?

(8) Wo und um wieviel Uhr trafen sie Klaus?

(9) Was zeigte Klaus Elisabeth?

(10) Warum fuhr Klaus nach Hause, nachdem sie das Goethehaus besichtigt hatten?

(11) Was besorgten die Mädchen, und wem begegneten sie auf dem Weg zur Haltestelle?

(12) Warum brachte Herr Reitner Elisabeth und Hannelore nach Hause?

2. Geben Sie die richtige Form des Verbs:

(1) Nachdem die beiden Freunde die Stadt (besichtigen — Pluperfect), (gehen — Imperf.) sie ins Hotel zurück.

(2) Als Klaus von der Schule (zurückkommen — Pluperf.), (geben — Imp.) ihm die Mutter einen Brief.

(3) Obwohl Herr und Frau Reitner den ganzen Tag mit dem Zug (reisen — Pluperf.), (sein — Imp.) sie nicht müde.

(4) Weil es im Sommer so oft (regnen — Pluperf.), (sein — Imp.) die Kartoffelernte sehr schlecht.

(5) Da ich meinen Regenschirm nicht (mitnehmen — Pluperf.), (werden — Imp.) mein Mantel nass.

(6) Gestern (haben — Perfect) wir im Kino kein Glück, denn man (zeigen — Imperf.) einen Film, den wir vor einem Jahr (sehen — Pluperf.).

(7) Als die Mädchen das Theater (verlassen — Pluperf.) (gehen — Imp.) sie in ein Café.
(8) Nachdem die Gäste (gehen — Pluperf.), (aufräumen Imp.) Frau Winter das Haus.

3. Geben Sie die richtige Konjunktion:

(1) Klaus kann besser Englisch .... Hannelore.
(2) In diesem Jahr sind die Äpfel nicht .... teuer .... im vorigen Jahr.
(3) .... fleissiger wir lernen, ... klüger werden wir.
(4) Die Kleider sind in England viel billiger .... in Deutschland.
(5) Im Winter werden die Tage .... kürzer.
(6) Mein Vater ist ebenso reich .... sein Bruder.
(7) Belgien ist nicht .... gross .... England.
(8) Der Rhein ist länger .... die Themse.
(9) Der Everest ist höher .... der Mont Blanc.
(10) Manchester ist kleiner .... London.

4. Übersetzen Sie ins Englische:

Herr Hartwig, der als ein vergesslicher Herr bekannt ist, wollte am Ostersonntag nach Bingen fahren. Als er am Bahnhof angekommen war, bemerkte er, dass er seine Brieftasche zu Hause vergessen hatte. Er musste wieder mit der Strassenbahn nach Hause fahren, denn ohne Geld konnte er keine Fahrkarte bekommen.

Als er die Tür geöffnet hatte, kam seine Frau mit seiner Brieftasche auf ihn zu und rief:

„Je älter du wirst, desto vergesslicher wirst du. Eines Tages wirst du deinen Kopf zu Hause vergessen! Fahre schnell zum Bahnhof zurück, sonst wirst du den nächsten Zug noch versäumen."

Als er wieder am Bahnhof angekommen war, löste er seine Fahrkarte und ging auf den Bahnsteig. Nachdem er eine Zeitung und Zigaretten gekauft hatte, stieg er in den Zug ein. Als der Zug abfuhr, bemerkte er, dass er seinen Koffer am Bahnsteig vergessen hatte.

5. Bilden Sie Sätze aus jeder Wortgruppe:

(1) zu Hause hatte vergessen Koffer er den da, nach Hause wieder er musste zurückkehren.

(2) das Kino nachdem wir hatten verlassen, ein Café wir gingen in, ein Glas Bier um zu trinken.

(3) Sechs Monate verbracht in Deutschland sie als hatten, sie auf zwei Wochen in die Schweiz fuhren.

(4) die Stadtmitte ich nachdem hatte besichtigt, das Museum ich besuchte.

Da er den Koffer zu Hause vergessen hatte, er musste nach Hause zurückkehren

Nachdem wir das Kino verlassen hatten, gingen wir in ein Café um ein Glas Bier zu trinken

LEKTION 18

EIN KATER ALS LEBENSRETTER

An einem schönen, sonnigen Morgen sassen Hannelore und
Klaus mit ihrer englischen Freundin im Garten. Alle drei
waren müde und wollten nichts tun, weil sie gestern abend
sehr spät zu Bett gegangen waren. Da es ziemlich heiss war,
holte Hannelore aus dem Kühlschrank Eis, das sie mit grossem
Appetit assen.

So sassen die jungen Leute in ihren Liegestühlen und ge-
nossen den herrlichen Morgen. Plötzlich sprang eine schwarze
Katze über die Hecke. Da sagte Elisabeth:

,,Wenn ich eine schwarze Katze sehe, muss ich immer an
einen schwarzen Kater denken, der den Bewohnern eines
Hauses das Leben gerettet hat. Also, ich werde euch eine
wahre Geschichte erzählen, und zwar von einem schwarzen
Kater. Hört mal zu!

In einer kleinen Stadt in Nordengland lebte ein älteres
Ehepaar, die eine kleine Wohnung in einem grossen, alten
Hause mieteten. Das Paar hatte vor ein paar Jahren von
Freunden einen schwarzen Kater bekommen. Er hiess Tommy.
Weil das Paar den schwarzen Kater sehr gern hatte, durfte er
nachts in ihrem Schlafzimmer bleiben. In einer Sommernacht
gegen 2 Uhr weckte der Kater seinen Herrn. Er war auf das
Bett gesprungen und schnurrte laut. Er rieb den Kopf an dem
Gesicht des alten Herrn. Dieser versuchte ihn wegzutreiben,
aber umsonst; der Kater liess nicht nach. Dann mit einem Mal
roch der Mann Rauch. Erschrocken weckte er seine Frau. Sie
verliessen nicht sofort das Zimmer, denn sie wollten wissen,
ob das Feuer in ihrem Zimmer ausgebrochen war. Aber sie
konnten keine Spur von einem Feuer finden.

Als sie die Tür aufmachten, sahen sie, dass dicker Rauch aus
einem Zimmer im Erdgeschoss kam. Schnell weckten sie die
anderen Bewohner des Hauses, und sie liefen zu dem Zimmer,
aus dem der Rauch kam. Sie klopften an die Tür, aber sie

bekamen keine Antwort. Daher mussten sie die Tür aufbrechen. Da sahen sie ein ungewöhnliches Bild. Ein junger Mann lag fest eingeschlafen auf dem Bett, das langsam brannte. Offenbar spürte er nichts. Seine Hose und Wolljacke, die über einem Stuhl neben seinem Bett lagen, hatten bereits Feuer gefangen. Auf dem Teppich lag ein Zigarettenstummel. Es war nicht leicht das brennende Bett zu erreichen, um den jungen Mann zu retten.

Inzwischen liefen andere Mieter ins Badezimmer, um Wasser zu holen. Ein junges Mädchen rannte zur nächsten Telefonzelle, um die Feuerwehr zu rufen. Bald war das Feuer gelöscht, und das Haus und seine Bewohner waren ausser Gefahr.

Damit ist meine Geschichte zu Ende. Ich bin und bleibe der Meinung, dass Tommy, der schwarze Kater, ein Lebensretter gewesen ist.‟

ZUM LERNEN

ausser Gefahr	out of danger
Dieser versuchte ihn weg zu treiben	He (the latter) tried to chase him away
fest eingeschlafen	fast asleep

GRAMMATIK

1. Co-ordinating conjunctions:

und	and
aber	but
sondern	but (on the contrary)
allein	but (seldom used)
denn	for, because
oder	or

Co-ordinating conjunctions usually do not affect the position of the verb in the second clause unless they are immediately followed by an adverb or adverbial phrase.

Examples:

Die Kinder lachten laut, aber sie störten die Mutter nicht. *But*: Die Kinder lachten zu laut, aber dann störten sie die Mutter.

Die Tochter konnte nicht abreisen, sondern sie musste bei ihrer kranken Mutter bleiben.

Der alte Mann war müde, denn er hatte sehr viel gearbeitet.

Am Sonntag besuche ich meine Freunde, oder sie kommen zu uns.

2. **Subordinating conjunctions** introduce subordinate clauses in which the verb stands last.

The most common of them are:

als	when
wenn	whenever, if
wann	when
bevor ⎱ ehe ⎰	before
da	as, since
dass	that, so that
nachdem	after
ob	whether, if
obwohl ⎱ obgleich ⎰	although
während	whilst
weil	because
wie	as, how
seitdem	since, since that time

Examples

Unser Grossvater war sehr müde, als er gestern nach Hause kam.

Mein Freund schreibt mir immer eine Ansichtskarte, wenn er im Ausland ist.

Ehe der Vater das Kind warnen konnte, lief es über die Strasse.

Da das junge Mädchen nicht genug Geld hatte, konnte es nicht ins Ausland fahren.

Herr Reiter half mir bei der Übersetzung, obwohl er immer sehr beschäftigt ist.

Note:

(a) **after** is translated by:
    nach   as preposition;
    nachher   as adverb;
    nachdem   as subordinating conjunction.

Examples:

Nach dem Herbst kommt der Winter.
Zuerst ging ich zum Fleischer, nachher kaufte ich beim Bäcker Brot.
Nachdem wir zu Mittag gegessen hatten, machten wir einen Ausflug.

(b)   **before** is translated by:
    vor   as preposition.
    bevor   as subordinating conjunction.

Examples:

Vor unserem Haus ist ein grosser Garten.
Bevor wir abfuhren, schlossen wir alle Fenster.

(c) Do not confuse the preposition **während** *during* with the conjunction **während** *while, whilst*.

Examples:

Während des letzten Sommers machten wir oft Ausflüge.
Die Mutter kleidet sich um, während der Vater sich rasiert.

AUFGABEN

1. Beantworten Sie folgende Fragen:

(1) Wer sass im Garten?
(2) Warum waren die jungen Leute müde?
(3) Warum holte Hannelore aus dem Kühlschrank Eis?
(4) Was für ein Tier sprang plötzlich über die Hecke?
(5) Woran musste Elizabeth immer denken, wenn sie eine schwarze Katze sah?
(6) Wo lebte das Ehepaar, von dem Elisabeth die Geschichte erzählte?

(7) Von wem hatten die alten Leute einen schwarzen Kater bekommen?

(8) Warum durfte Tommy nachts im Schlafzimmer bleiben?

(9) Wie weckte der Kater seinen Herrn?

(10) Warum war der alte Herr erschrocken?

(11) Woher kam der Rauch?

(12) Was brannte bereits in dem Zimmer des jungen Mannes?

(13) Warum spürte er nichts?

(14) Warum rannte ein junges Mädchen zur Telefonzelle?

2. Ergänzen Sie:

(1) (After) d . . . . Frühstück fahre ich gleich in die Stadt.

(2) Er kehrte (after) drei Stunden zurück.

(3) (After) d . . . . Hausfrau die Zimmer aufgeräumt hatte, ging sie auf den Markt.

(4) (After) d . . . . Vorstellung kam der Schauspieler spät nach Hause.

(5) (After) d . . . . Ausländer die Stadt besichtigt hatten, gingen sie zum Bahnhof zurück.

(6) (Before) ich ausging, rief ich meine Freunde an.

(7) Der Geschäftsmann verliess (before) zehn Uhr das Hotel.

(8) Der Bauer bekam einen Brief kurz (before) d . . . . Ankunft seines Gastes.

(9) (During) d . . . . Vorstellung sind die Türen des Zuschauerraumes geschlossen.

(10) (Whilst) d . . . . Mutter in der Stadt war, fütterten die Kinder die Hühner.

(11) (Whilst) d . . . . alt . . . . Gärtner im Garten arbeitete, schien die Sonne.

(12) (During) d . . . . Sommerferien besuchte Klaus seine Freunde in England.

3. Ergänzen Sie:

(1) . . . . ich gestern nach Hause kam, fand ich einen Brief auf dem Tisch. (when)

(2) Wenn unsere Kinder nach England fahren, regnet es immer. (when)

(3) Der kleine Junge wollte wissen, ob . seine Katze zu Hause ist. (whether)

(4) Der Hoteldiener weiss genau, wann die Züge aus München ankommen. (when)

(5) Da . es heute stark schneit, können wir nicht Schi laufen. (because)

(6) Können Sie mir sagen, wie Sie die Ochsenschwanz-suppe zubereiten? (how)

(7) Die Bewohner dieses Hauses sind nicht auf Urlaub gefahren, sondern sie sind alle zu Hause geblieben. (but)

(8) Meine Freundin hat den neuen deutschen Roman gelesen, aber sie hat nicht viel davon verstanden. (but)

(9) Als das Feuer ausbrach, weckte die Mutter ihren Sohn, und der Vater holte das jüngste Kind aus dem Schlafzimmer. (when, and)

(10) Wir gehen heute nicht Schlittschuh laufen, denn es ist sehr kalt. (for)

(11) Obwohl die Hausfrau viel Arbeit hat, findet sie auch Zeit zum Lesen. (although)

(12) Während der Mechaniker unseren Wagen reparierte, machten wir einen Spaziergang. (whilst)

4. Ergänzen Sie:

An einem schönen . Sommermorgen kam mein alten . Freund Karl unerwartet bei uns an. Wir sassen gerade bei m . . Frühstück. Wir assen hartgekochten . . Eier mit frische . . . Brötchen und frisch r. r. . Butter, die wir gestern von einem . Bauern auf der Rückfahrt von einem sehr angenehme . . Ausflug geholt hatten. Wir tranken heisse . . . Kaffee, d en wir auch unserem . Freund anboten. Er ass auch ein . . frische . . . Brötchen und lobte (praised) d e . frische . . . Bauernbutter. Da fragte mein älter e . . Bruder d en unerwarteten . Gast:

„Lieber Karl, was führt d ich . in . . . . diese r . . früh en . Morgenstunde zu uns? Ist d ir . . etwas passiert?"

„Da hast du recht," hat er geantwortet, „ich war auf
d .*er* Weg nach Rüdesheim, da hatte plötzlich mei.*n*...
Wagen eine Panne (break-down). Zum Glück ist es
nicht weit von ei*ner*. Tankstelle passiert. Ich habe selbst
nichts tun können, so habe ich d *en* Wagen in d *er*..
Garage reparieren lassen müssen. Das wird ungefähr 2
Stunden dauern. Ich hoffe, ich werde euch nicht stören,
wenn ich ei *n*... paar Stund *en*. in euer *n*. gemütlich
.*en*. Haus verbringe."
„Aber natürlich, lieb *er*.. Karl! Du bist immer ein
willkommen *er*.. Gast in unser *er*.. Hause."

5. Übersetzen Sie Aufgabe 4 ins Englische:

6. Bilden Sie Sätze aus jeder Wortgruppe:

(1) durch fuhren wir die Stadtmitte als, wir sehr
sie fanden interessant.

(2) er gelesen die Zeitung hatte nachdem, er einen
Roman neuen las.

(3) Genau sie wusste, ihre Freundin wann am
wird Frankfurter Flugplatz ankommen.

(4) Strassen alle nass waren, während es der
Nacht da hatte geregnet ganzen.

Als wir fuhren durch die Stadtmitte
fuhren, wir fanden sie sehr interessant

Nachdem er die Zeitung gelesen hatte
las er einen neuen Roman

Sie wusste genau, wann ihre F. nach
Fr. flug ankommen wird.

Während
Alle Strassen nass waren, da

LEKTION 19

DER OSTENDE-EXPRESS

Jeden Tag verlässt dieser Express am Nachmittag den Hafen von Ostende, um seine lange Reise nach Wien anzutreten. Der Ostende-Express ist einer der wichtigsten internationalen Züge, die Westeuropa mit Mittel- und Osteuropa verbinden.

Jedermann, der diesen Express benützen will, kann bereits vor Antritt der Reise eine Platz-, Schlafwagen-oder Liegewagenkarte in einem Reisebüro reservieren.

Reisende aus England haben täglich um 10 Uhr von der Victoria Station in London einen Anschlusszug, der sie rechtzeitig nach Ostende bringt.

Um 16 Uhr fährt dieser Express vom Kai in Ostende ab und macht seine Reise über Brüssel, Liège und Herbesthal nach Aachen. Zwischen Herbesthal und Aachen findet die deutsche Zollkontrolle statt, und jedermann muss in seinem Abteil bleiben, bis die Zollbeamten mit der Zollkontrolle fertig sind. Wenn jemand viel zu verzollen hat, dauert sie manchmal ziemlich lange.

Nach einem sehr kurzen Aufenthalt in Aachen setzt der Zug seine Fahrt über Köln, Koblenz, Mainz und Frankfurt fort. Die Strecke zwischen Köln und Mainz ist der schönste und interessanteste Teil der Reise, denn die Bahn fährt die ganze Zeit den Rhein entlang, und man hat eine herrliche Aussicht auf den Rhein, die Burgen und die Weingärten. Man kann jedoch nur in den Sommermonaten diese herrliche Aussicht geniessen. In den Wintermonaten kann man leider gar nichts von der Umgebung sehen, da der Ostende-Express erst am späten Abend den Rhein entlang fährt. Von Ostende bis Frankfurt führt der Ostende-Express einen Speisewagen mit, den viele Reisende benützen.

Kurz nach Mitternacht, um 00.08 Uhr fährt des Express von Frankfurt ab und fährt über Würzburg, Nürnberg und Regensburg nach Passau. Die österreichische Zollkontrolle findet zwischen Passau und Schärding im Zuge statt. Von Schärding legt nun der Ostende-Express den letzten Teil seiner Reise zurück. Er fährt über Linz nach Wien, wo er um 10.05 Uhr am Westbahnhof ankommt. Damit hat der Ostende-Express sein Ziel erreicht.

Vor dem letzten Kriege setzte der Ostende-Express seine Reise nach vielen osteuropäischen Staaten fort. Heutzutage jedoch, wenn jemand seine Reise in ein osteuropäisches Land fortsetzen will, muss man in Wien umsteigen und man hat vom Süd-oder Ostbahnhof einen Anschluss nach Budapest (Ungarn), Belgrad (Jugoslawien), Warschau (Polen), Sofia (Bulgarien), Bukarest (Rumänien) und Istanbul (Türkei).

ZUM LERNEN

einer der wichtigsten Züge	one of the most important trains
vor Antritt der Reise	before setting out on a journey

GRAMMATIK

Indefinite Pronouns:

man	one, they, people
jedermann	everybody, everyone
jemand	somebody, anyone, anybody, someone
niemand	nobody, no one
etwas	something, anything
nichts	nothing, anything
gar nichts	nothing at all

Examples:

Jedes Jahr fährt man auf Urlaub.
Jedermann freut sich auf seinen Urlaub.
Bei uns ist immer jemand zu Hause.
Hat jemand angerufen?
Nein, niemand hat angerufen.
Haben Sie etwas zu verzollen?
Ich weiss nichts davon.
Er hat nichts zu sagen.
Das kranke Kind hat gar nichts gegessen.

Note:

If *etwas* or *nichts* are followed by an adjective (except ander) then the adjective becomes a noun and ends in -es.

Examples:

Ich möchte etwas Gutes essen.

Sie darf nichts Süsses trinken.

Herr Müller konnte mir nichts Neues berichten.

But

Das ist etwas anderes. (That is something different.)

AUFGABEN

1. Beantworten Sie folgende Fragen:

(1) Warum ist der Ostende-Express ein internationaler Zug?

(2) Durch welche Länder fährt der Express?

(3) Welche Karten kann man im Reisebüro reservieren?

(4) Warum muss jedermann von Herbesthal bis Aachen in seinem Abteil bleiben?

(5) Wann kann man die schöne Aussicht auf den Rhein und die Burgen geniessen?

(6) Wie weit führt der Ostende-Express einen Speisewagen mit?

(7) Wo findet die deutsche und österreichische Zollkontrolle statt?

(8) Wie viele Stunden braucht der Ostende-Express für seine Reise von Ostende nach Wien?

(9) Durch welche Städte in Belgien, Deutschland und Österreich fährt der Ostende-Express?

(10) Nach welchen osteuropäischen Ländern hat man von Wien einen Anschluss?

2. Schreiben Sie je zwei Sätze mit den folgenden unbestimmten Fürwörtern: (indefinite pronouns)

man, jedermann, jemand, niemand, etwas, nichts, gar nichts.

3. **Ergänzen Sie:**

(1) Dies .... Jahr verbrachte ich mei .... Urlaub an ei .... gross .... See in Italien.

(2) Ich blieb die ganz .... Nacht auf ei .... klein .... Bahnhof.

(3) In jen .... alt .... Haus wohnen die österreichisch .... Zollbeamten.

(4) Welch .... unartig .... Kind hat die alt ...., grün .... Vase zerbrochen?

(5) D .... Bewohner d .... neu .... Haus .... sind älter .... Leute.

(6) In dies .... Kino zeigt man nur alt .... amerikanisch .... Film.....

(7) Ei .... Herr, d .... ich nicht kenne, hat mir dies .... lang .... Brief geschrieben.

(8) Nächst .... Jahr werde ich mei .... Urlaub an ei .... bayerisch .... See verbringen.

(9) Jetzt muss ich mei .... Brief schliessen, und ich sende dir mei .... herzlichst .... Grüsse.

(10) Nach d .... lang .... Reise kamen wir endlich an d .... französisch .... Grenze.

4. **Übersetzen Sie ins Englische:**

Unser Nachbar Mr. Bamber und seine Familie verbrachten ihren Sommerurlaub in Luzern, in der Schweiz. Durch ein Reisebüro hatten sie sich ein Schlafwagenabteil reserviert. Da sie Calais am Abend verliessen, konnten sie die ganze Nacht schlafen, und sie kamen bereits am frühen Morgen in der Schweiz an. In Basel mussten sie umsteigen, und sie hatten auch dort die schweizerische Zollkontrolle. Sie hatten nichts zu verzollen, aber jemand vor ihnen musste etwas verzollen. Sie frühstückten am Bahnhof in Basel, und um 8.40 Uhr hatten sie einen Anschluss nach Luzern. Dort hatte Mr. Bamber ein Zimmer in einem grossen Hotel reserviert. Da er weder deutsch noch französisch sprach, konnte er die ersten paar Tage gar nichts verstehen. Aber nach ein paar Tagen sprach er schon ein paar Worte Deutsch, und bald lernte er viele Leute kennen. Niemand konnte verstehen, warum er nicht früher Deutsch gelernt hatte, da er in ein paar Tagen nach seiner Ankunft bereits viel Deutsch verstehen konnte. Mr. Bamber versprach nächsten Herbst in der Abendschule Deutsch zu lernen und nächstes Jahr wieder nach Luzern auf Urlaub zu kommen. Die Zeit verging zu schnell, und nach drei herrlichen Wochen musste Mr. Bamber mit seiner Familie wieder nach Hause zurückfahren.

5. Bilden Sie Sätze aus jeder Wortgruppe:

(1) kam gestern abend jemand, um zu besuchen uns, zu Hause waren nicht aber wir.

(2) kann jedermann fahren heutzutage ins Ausland auf Urlaub, sind Urlaubspreise billig sind da sehr die.

(3) im Bett schon Mann zwei Tage alte lag der, wusste aber davon niemand.

(4) nichts Dame hatte die zu verzollen, musste ein etwas aber Herr verzollen.

LEKTION 20

ZWEI KURZGESCHICHTEN

1. MAN MUSS DIE SPEISEKARTE LESEN KÖNNEN

Es war kurz vor Ende des Krieges. In Deutschland waren die Lebensmittel sehr knapp, alles war rationiert. Um die spärliche Kost zu ergänzen, pflegten die Leute in ein Restaurant oder Gasthaus zu gehen, wo man einige Speisen ohne Lebensmittelkarten erhalten konnte. So gingen eines Abends Herr und Frau Pommer, die zur Zeit in Neustadt wohnten, in ein Gasthaus. Sie waren in der Gegend noch fremd. Als sie das Gasthaus betraten, waren fast alle Tische besetzt, aber es gelang ihnen in einer Ecke einen Platz zu finden. Herr und Frau Pommer sahen sich um. Alle Leute ringsum hatten auf ihren Tellern Bratkartoffeln mit einem winzigen Fisch darauf. Die Kartoffeln sahen sehr appetitlich aus. Als die Kellnerin vorbeikam, bestellte Herr Pommer Bratkartoffeln. Die Kellnerin ging weg, ohne etwas zu sagen, und als sie wiederkam, hatte sie nichts gebracht. Herr Pommer wiederholte seine Bestellung. Aber auch dieses Mal hatte er keinen Erfolg. So rief er noch einmal die Kellnerin und fragte:

„Warum bringen Sie uns keine Bratkartoffeln?"
Die Kellnerin antwortete nur:
„Wir haben keine Bratkartoffeln."
„Wieso denn?" fragte Herr Pommer, „sind das nicht Bratkartoffeln, die hier die Leute ringsum auf den Tellern haben?"
Die Kellnerin erwiderte:
„Wir servieren nur Speisen, die auf der Speisekarte stehen. Und das, was sie auf den Tischen sehen, sind keine Bratkartoffeln, sondern Schusterpastete."
Endlich wusste das Paar, woran es war. Noch viele Jahre später, mussten sie darüber lachen, was sie im Wirtshaus in Neustadt erlebt hatten.

2. DAS GEHORSAME KIND

Die kleine Luise hatte Fieber und Kopfschmerzen. Die Eltern baten den Arzt, der ihr Nachbar war, herüberzukommen, um die Kleine zu untersuchen. Die kleine Luise musste auch dem Arzt die Zunge zeigen. Nach der Untersuchung ging der Arzt nicht weg, sondern blieb noch eine Weile bei seinen Nachbarn. Die Erwachsenen sprachen über Politik und allerlei Dinge. Niemand bemerkte das kleine Mädchen, das die ganze Zeit die Zunge gehorsam ausgestreckt hielt. Nachdem ungefähr zehn Minuten vergangen waren, verlor die kleine Luise doch die Geduld und sie fragte:

„Bitte, Herr Doktor, wie lange muss ich die Zunge so halten? Darf ich sie für ein Weilchen zurückziehen?"

EIN WITZ

Karl hatte das Leben als Junggeselle satt. Er wollte heiraten, deshalb fragte er seinen Freund Peter:

„Sage mir bitte, wie es dir geht, seitdem du verheiratet bist?"

„Als wir miteinander bekannt wurden, und ich ihr den Hof machte, redete ich, und sie schwieg. Als wir uns verlobten, sprach sie, und ich schwieg. Aber seitdem wir verheiratet sind, sprechen wir beide, so viel und so laut, dass die Nachbarn sich beklagen."

ZUM LERNEN

Es gelang ihnen einen Eckplatz zu bekommen.	They succeeded in getting a seat in a corner.
Wieso denn?	How is that?
Das Paar wusste, woran es war.	The couple knew what it was all about.
bekannt werden	to get acquainted
Er hatte das Leben als Junggeselle satt.	He was fed up with life as a bachelor.
den Hof machen	to court a person

AUFGABEN

1. Beantworten Sie folgende Fragen:

(a) (1) Gab es während des Krieges in Deutschland genug zu essen?

(2) Was taten Leute, um die spärliche Kost zu ergänzen?

(3) Wohin gingen eines Abends Herr und Frau Pommer?

(4) Wo fanden sie im Gasthaus Platz?

(5) Was assen die Leute an den anderen Tischen?

(6) Was bestellte Herr Pommer?

(7) Warum bekam er keine Bratkartoffeln?

(8) Wie hiessen die Bratkartoffeln mit dem winzigen Fisch?

(b) (1) Warum baten die Eltern der kleinen Luise den Arzt herüberzukommen?

(2) Was musste das kleine Mädchen dem Arzt zeigen?

(3) Worüber sprachen die Erwachsenen?

(4) Was hatten sie nicht bemerkt?

2. Ergänzen Sie durch eine passende Konjunktion oder Präposition:

(1) . . . . . ich meine kranke Freundin besucht hatte, fuhr ich . . . . drei Uhr . . . . die Stadt.

(2) . . . . es regnet, bleibt mein Grossvater immer . . . . Hause.

(3) . . . . sein Bruder voriges Jahr . . . . Deutschland fuhr, nahm er seine jüngere Schwester mit.

(4) Wir wissen nicht, ... unser Vater heute abend . . . . Hause kommt.

(5) . . . . der Junge zwei Stunden lang gelernt hatte, ging er . . . Kino.

(6) Wir wissen nicht, ... unser deutscher Freund uns besuchen kann.

(7) . . . . ich gestern . . . . der Arbeit . . . . Hause kam, fand ich . . . . dem Tisch einen Brief.

(8) . . . . es sehr spät war, fuhren keine Autobusse mehr; deshalb blieb unsere Tante . . . . uns.

3. **Ergänzen Sie:**

In d . . . . gut . . . . alt . . . . Zeit, als es noch kei . . . .
Auto . . . . und kei . . . . Telefon gab, reiste ei . . . . reich
. . . . holländisch . . . . Kaufmann auf sei . . . . Pferd durch
Deutschland. An ei . . . . schön. . . . . Sommerabend kam
er in ei . . . . klein . . . . Dorf an. Er sah dort ei . . . .
gross . . . ., neu . . . . Gasthaus, das ihm sehr gefiel. Er
trat in d . . . . gemütlich . . . . Gastzimmer ein, setzte
sich an ei . . . . klein . . . ., rund . . . . Tisch und bestellte
ei . . . . gut . . . . Abendessen. Am nächst . . . . Morgen,
nach d . . . . Frühstück, bestellte er sechs hartgekocht . . . .
Ei . . . ., die er auf d. . . . . Weg mitnehmen wollte. Nach
ei . . . . lang . . . . Reise erreichte er am spät . . . . Abend
die Stadt Hameln an d . . . . Weser, die durch die Sage
von d . . . . Rattenfänger berühmt ist.

4. **Übersetzen Sie Aufgabe 3 ins Englische:**

5. **Bilden Sie Sätze aus jeder Wortgruppe:**

(1) spät kam ich gestern als nach Hause, Eltern meine
gegangen waren zu Bett schon.

(2) Freundin weiss meine, man kann billiges kaufen Obst
wo.

(3) heiss es im Sommer ist wenn, schwimmen jeden Tag
wir im See.

(4) nicht wusste Peter, seine neuen Freunde dass wohnen
weit so entfernt.

LIST OF STRONG AND IRREGULAR VERBS

Infinitive	3rd pers. Present	Imperfect	Perfect	English
abfahren	fährt ab	fuhr ab	ist abgefahren	depart, leave
abgeben	gibt ab	gab ab	hat abgegeben	give, hand in
abladen	lädt (ladet) ab	lud ab	hat abgeladen	unload
anbieten	bietet an	bot an	hat angeboten	offer
anfangen	fängt an	fing an	hat angefangen	begin
ankommen	kommt an	kam an	ist angekommen	arrive
anrufen	ruft an	rief an	hat angerufen	phone
anschreien	schreit an	schrie an	hat angeschrien	shout at
ansehen	sieht an	sah an	hat angesehen	look at
antreten	tritt an	trat an	hat angetreten	set out (on a journey)
anziehen	zieht an	zog an	hat angezogen	dress
aufbleiben	bleibt auf	blieb auf	ist aufgeblieben	remain up late
aufbrechen	bricht auf	brach auf	hat aufgebrochen	break open
aufgehen	geht auf	ging auf	ist aufgegangen	rise (sun)
aufschreiben	schreibt auf	schrieb auf	hat aufgeschrieben	write down, book
aufstehen	steht auf	stand auf	ist aufgestanden	get up
ausbrechen	bricht aus	brach aus	ist ausgebrochen	break out
ausgeben	gibt aus	gab aus	hat ausgegeben	spend money
ausgehen	geht aus	ging aus	ist ausgegangen	go out
ausschelten	schilt aus	schalt aus	hat ausgescholten	scold, reprimand
aussehen	sieht aus	sah aus	hat ausgesehen	look, appear
aussteigen	steigt aus	stieg aus	ist ausgestiegen	get off, alight
backen	bäckt	buk (backte)	hat gebacken	bake
sich befinden	befindet sich	befand sich	hat sich befunden	be, be situated
beginnen	beginnt	begann	hat begonnen	begin
behalten	behält	behielt	hat behalten	keep
beissen	beisst	biss	hat gebissen	bite
bekommen	bekommt	bekam	hat bekommen	receive
besprechen	bespricht	besprach	hat besprochen	discuss
betreten	betritt	betrat	hat betreten	enter
bitten	bittet	bat	hat gebeten	request

Infinitive	3rd pers. Present	Imperfect	Perfect	English
bleiben	bleibt	blieb	ist geblieben	remain
brechen	bricht	brach	hat gebrochen	brake
brennen	brennt	brannte	hat gebrannt	burn
bringen	bringt	brachte	hat gebracht	bring
denken	denkt	dachte	hat gedacht	think
dürfen	darf	durfte	hat gedurft	may, be allowed to
einladen	lädt ein (ladet ein)	lud ein	hat eingeladen	invite
einlassen	lässt ein	liess ein	hat eingelassen	let in
einschlafen	schläft ein	schlief ein	ist eingeschlafen	fall asleep
einsteigen	steigt ein	stieg ein	ist eingestiegen	get in, board
eintreffen	trifft ein	traf ein	ist eingetroffen	arrive
eintreten	tritt ein	trat ein	ist eingetreten	enter
empfehlen	empfiehlt	empfahl	hat empfohlen	recommend
erfahren	erfährt	erfuhr	hat erfahren	get to know
erhalten	erhält	erhielt	hat erhalten	receive
erkennen	erkennt	erkannte	hat erkannt	recognize
erschrecken	erschrickt	erschrak	ist erschrocken	be frightened, alarmed
ertrinken	ertrinkt	ertrank	ist ertrunken	drown
essen	isst	ass	hat gegessen	eat
fahren	fährt	fuhr	ist gefahren	drive, travel
fallen	fällt	fiel	ist gefallen	fall
fangen	fängt	fing	hat gefangen	catch
finden	findet	fand	hat gefunden	find
fliegen	fliegt	flog	ist geflogen	fly
fressen	frisst	frass	hat gefressen	eat (of animals)
frieren	friert	fror	hat gefroren	freeze, be cold
geben	gibt	gab	hat gegeben	give
gefallen	gefällt	gefiel	hat gefallen	please
gehen	geht	ging	ist gegangen	go
gelingen (impersonal)	es gelingt ihm	es gelang ihm	es ist ihm gelungen	succeed

Infinitive	3rd pers. Present	Imperfect	Perfect	English
geniessen	geniesst	genoss	hat genossen	enjoy
greifen	greift	griff	hat gegriffen	seize, reach
haben	hat	hatte	hat gehabt	have
halten	hält	hielt	hat gehalten	hold
hängen	hängt	hing	hat gehangen	hang
heben	hebt	hob	hat gehoben	lift
helfen	hilft	half	hat geholfen	help
herüberkommen	kommt herüber	kam herüber	ist herübergekommen	come over, across
herumgehen	geht herum	ging herum	ist herumgegangen	walk around
herunterheben	hebt herunter	hob herunter	hat heruntergehoben	take down
kennen	kennt	kannte	hat gekannt	know
kommen	kommt	kam	ist gekommen	come
können	kann	konnte	hat gekonnt	able to, can
lassen	lässt	liess	hat gelassen	let, leave
laufen	läuft	lief	ist gelaufen	run
lesen	liest	las	hat gelesen	read
liegen	liegt	lag	hat gelegen	lie
messen	misst	mass	hat gemessen	measure
mitbringen	bringt mit	brachte mit	hat mitgebracht	bring along with
mitnehmen	nimmt mit	nahm mit	hat mitgenommen	take with one
mögen	mag	mochte	hat gemocht	may, like
müssen	muss	musste	hat gemusst	must, have to
nachdenken	denkt nach	dachte nach	hat nachgedacht	ponder
nachlassen	lässt nach	liess nach	hat nachgelassen	give up
nachschlagen	schlägt nach	schlug nach	hat nachgeschlagen	look up (in a book)
nachsehen	sieht nach	sah nach	hat nachgesehen	look for, look into
nehmen	nimmt	nahm	hat genommen	take
reissen	reisst	riss	hat gerissen	tear, pull

Infinitive	3rd pers. Present	Imperfect	Perfect	English
reiten	reitet	ritt	ist geritten	ride (go on horseback)
rennen	rennt	rannte	ist gerannt	run
riechen	riecht	roch	hat gerochen	smell
rufen	ruft	rief	hat gerufen	call
scheinen	scheint	schien	hat geschienen	shine, seem
schlafen	schläft	schlief	hat geschlafen	sleep
schlagen	schlägt	schlug	hat geschlagen	hit
schliessen	schliesst	schloss	hat geschlossen	shut, close
schneiden	schneidet	schnitt	hat geschnitten	cut
schreiben	schreibt	schrieb	hat geschrieben	write
schreien	schreit	schrie	hat geschrien	cry out, scream
schweigen	schweigt	schwieg	hat geschwiegen	be silent
schwimmen	schwimmt	schwamm	ist geschwommen	swim
sehen	sieht	sah	hat gesehen	see
sein	ist	war	ist gewesen	be
senden	sendet	sandte	hat gesandt (gesendet)	send
singen	singt	sang	hat gesungen	sing
sitzen	sitzt	sass	hat gesessen	sit
sprechen	spricht	sprach	hat gesprochen	speak
springen	springt	sprang	ist gesprungen	jump
stattfinden	findet statt	fand statt	hat stattgefunden	take place
stehen	steht	stand	hat gestanden	stand
steigen	steigt	stieg	ist gestiegen	climb
sterben	stirbt	starb	ist gestorben	die
tragen	trägt	trug	hat getragen	carry
treffen	trifft	traf	hat getroffen	meet
trinken	trinkt	trank	hat getrunken	drink
tun	tut	tat	hat getan	do
sich umsehen	sieht sich um	sah sich um	hat sich umgesehen	look round
verbinden	verbindet	verband	hat verbunden	connect
verbringen	verbringt	verbrachte	hat verbracht	spend (time)

Infinitive	3rd pers. Present	Imperfect	Perfect	English
vergeben	vergibt	vergab	hat vergeben	forgive
vergehen	vergeht	verging	ist vergangen	pass, slip away
vergessen	vergisst	vergass	hat vergessen	forget
verlassen	verlässt	verliess	hat verlassen	leave
verlieren	verliert	verlor	hat verloren	lose
verschreiben	verschreibt	verschrieb	hat verschrieben	prescribe
versprechen	verspricht	versprach	hat versprochen	promise
verstehen	versteht	verstand	hat verstanden	understand
vertragen	verträgt	vertrug	hat vertragen	bear, stand
verzeihen	verzeiht	verzieh	hat verziehen	forgive
vorweisen	weist vor	wies vor	hat vorgewiesen	show (forth), produce
wachsen	wächst	wuchs	ist gewachsen	grow
waschen	wäscht	wusch	hat gewaschen	wash
wegtreiben	treibt weg	trieb weg	hat weggetrieben	chase away
werden	wird	wurde	ist geworden	become
werfen	wirft	warf	hat geworfen	throw
wissen	weiss	wusste	hat gewusst	know
wollen	will	wollte	hat gewollt	wish to, want to, will
zurückziehen	zieht zurück	zog zurück	hat zurückgezogen	pull back
zusammenstossen	stösst zusammen	stiess zusammen	ist zusammengestossen	collide

VOCABULARY

* strong verb.

ab und zu	now and then, from time to time	angeln	to angle, fish
Abend (e) m.	evening	angenehm	pleasant
Abendessen (-) n.	dinner, evening meal	*ankommen (sep.)	to arrive
Abendkleid (er) n.	evening dress	Ankunft (⁻e) f.	arrival
abends	in the evening	*annehmen (sep.)	to accept
Abendschule (n) f.	evening school	*anrufen (sep.)	to ring up, phone
aber	but	ansagen (sep.)	to announce
*abfahren (sep.)	to depart	Anschluss (⁻e) m.	train connection
*abgeben (sep.)	to give, hand in	Anschlusszug (⁻e) m.	connecting train
abholen (sep.)	to collect, call for	*anschreien (sep.)	to shout at
*abladen (sep.)	to unload	*ansehen (sep.)	to look at
ablegen (sep.)	to take off (clothes)	*sich ansehen (sep.)	to have a look at
Abteil (e) n.	compartment	Ansicht (en) f.	opinion, view
Abwechslung (en) f.	change	Ansichtskarte (n) f.	picture postcard
acht	eight	anstatt	instead of
addieren	to add	*antreten (sep.)	to begin, set out on (a journey)
Adresse (n) f.	address	Antwort (en) f.	answer, reply
Affe (n) m.	monkey	antworten	to answer
Afrika n.	Africa	*anziehen (sep.)	to put on, to dress
Akt (e) m.	act	Anzug (⁻e) m.	suit
Aktentasche (n) f.	briefcase	anzünden (sep.)	to light
alle	all	Apfel (⁻) m.	apple
allein	alone	Apfelstrudel (-) m.	a kind of apple tart
allerlei	all sorts	Apotheke (n) f.	dispensing chemist's shop
alles	everything	Appetit m.	appetite
allmählich	gradual, little by little	appetitlich	appetizing
Alltag m.	everyday life	Aprikose (n) f.	apricot
Alpen die (plural)	Alps	April m.	April
als	when (subordinating conjunction)	Arbeit f.	work, employment
also	therefore, so	arbeiten	to work
alt	old	Arbeitszimmer (-) n.	study
Alter n.	age, old age	Arm (e) m.	arm
älter	older, elderly	Armbanduhr (en) f.	wrist watch
Amerikaner (-) m.	American	Art (en) f.	kind, method
an	at, on	artig	well behaved
*anbieten (sep.)	to offer	Arznei (en) f.	medicine
ander	other	Arzt (⁻) m.	doctor, physician
anders	differently, otherwise	auch	also
anderthalb	one and a half	auf	on
Anfang (⁻e) m.	begin, beginning		
*anfangen (sep.)	to begin		

*aufbleiben		Bahnhof (⁻e) m.	railway station
(sep.)	to remain up	Bahnhofshalle	
*aufbrechen		(n) f.	station hall
(sep.)	to break open	Bahnsteig (e) m.	platform
Aufenthalt (e)		Bahnsteigkarte	
m.	stay	(n) f.	platform ticket
Aufgabe (n) f.	exercise, problem	bald	soon
*aufgehen (sep.)	to rise	Balkon (e) m.	balcony
aufgeregt	excited	Ball (⁻e) m.	ball
aufmachen (sep.)	to open	Banane (n) f.	banana
aufmerksam	attentive	Bank (⁻e) f.	form, bench
aufräumen (sep.)	to tidy up	Bär (en) m.	bear
Aufregung (en) f.	excitement	Bauer (n) m.	farmer
*aufschreiben		Bauernhaus	
(sep.)	to write down, to book	(⁻er) n.	farm house
		Bauernhof (⁻e)	
*aufschreien		m.	farm
(sep.)	to cry out	Baum (⁻e) m.	tree
aufsetzen (sep.)	to put on	bay(e)risch	Bavarian
*aufstehen (sep.)	to get up	Bayern n.	Bavaria
Aufzug (⁻e) m.	lift	Beamte (n) m.	official
August m.	August	beantworten	to answer, reply to
aus (dat.)	from (out of)	bedauern	to regret
*ausbrechen		bedecken	to cover
(sep.)	to break out	sich beeilen	to hurry
Ausflug (⁻e) m.	excursion, outing, trip	*sich befinden	to be, to be situated
		begegnen (dat.)	to meet
ausfüllen (sep.)	to fill in	*beginnen	to begin
Ausgang (⁻e) m.	exit	begleiten	to accompany, escort
*ausgeben (sep.)	to spend money	begrüssen	to greet, welcome
*ausgehen (sep.)	to go out	*behalten	to keep
ausgezeichnet	excellent	bei	at
Auskunft (⁻e) f.	information	beide	both
Auskunftbüro		Beifall (⁻e) m.	applause
(s) n.	inquiry office	Bein (e) n.	leg
Ausland n.	abroad	beinahe	almost, nearly
Ausländer (-) m.	foreigner	beisammen	together
*ausschelten		*beissen	to bite
(sep.)	to reprimand, scold	bekannt	well known, familiar
*aussehen (sep.)	to look, appear	sich beklagen	to complain
ausserdem	besides, moreover	Bekleidung f.	clothes, clothing
Aussicht (en) f.	view	*bekommen	to get, receive
*aussteigen (sep.)	to get off, alight	Belgien n.	Belgium
ausstrecken (sep.)	to stretch out	beliebt	favourite, popular
aussuchen (sep.)	to choose, select	bemerken	observe, note
Auswahl (en) f.	choice, selection	benachbart	neighbouring
Auto (s) n.	motor car	benützen	to use, make use of
Autobahn (en) f.	motorway	Benzin n.	petrol
Autobus (se) m.	omnibus, coach	beobachten	to observe, watch
		bereit	ready, prepared
*backen	to bake	bereits	already
Bäcker (-) m.	baker	Berg (e) m.	mountain
Bad (⁻er) n.	bath	berichten	to report
baden	to bathe	Beruf (e) m.	profession
Badezimmer (-)		beruhigen	to calm
n.	bathroom	sich beruhigen	to calm down
Bahn (en) f.	train, railway	berühmt	famous

beschädigt	damaged
beschäftigt	busy
besetzt	engaged (a seat)
besichtigen	to view, inspect
besonders	especially
besorgen	to get, provide
besorgt	anxious
*besprechen	to discuss
besser	better
bestellen	to order
Bestellung (en) f.	order
bestimmt	certain
Besuch (e) m.	visitor, visit
besuchen	to visit, attend
betrachten	to look at
*betreten	to enter
Bett (en) n.	bed
bevor	before (subordinating conjunction)
Bewohner (-) m.	occupant, tenant
bewundern	to admire
bezahlen	to pay for
Bier (e) n.	beer
Bild (er) n.	picture, photograph
Bildung (en) f.	education
billig	cheap
Birne (n) f.	pear
bis	until
Bitte (n) f.	request
bitte	please
*bitten	to ask, request
bitterlich	bitterly
Blatt (¨er) n.	leaf
blättern	to turn over pages (in a book)
blau	blue
*bleiben	to remain, stay
blond	blond
blühen	to flower
Blume (n) f.	flower
Blumenbeet (e) n.	flower-bed
Blumenkohl m.	cauliflower
Bluse (n) f.	blouse
Blut n.	blood
Blüte (n) f.	bloom, blossom
Boden (¨) m.	floor
Bodensee der	Lake Constance
Börse (n) f.	purse
böse	angry
Brathuhn (¨er) n.	roast chicken
Bratkartoffeln die (plural)	fried potatoes
brauchen	to need, require
braun	brown
*brechen	to break

bremsen	to brake, apply the brakes
*brennen	to burn
Brief (e) m.	letter
Brieftasche (n) f.	wallet
Briefträger (-) m.	postman
Brille (n) f.	spectacles
*bringen	to bring, fetch
Brosche (n) f.	brooch
Brot (e) n.	bread
belegte Brot n.	open sandwich
Brötchen (-) n.	bread roll, dinner cob
Brücke (n) f.	bridge
Bruder (¨) m.	brother
Buch (¨er) n.	book
Büfett (e.) n.	buffet
Bühne (n) f.	stage
Bulgarien das	Bulgaria
Bundesbahn (en) f.	federal railway
bunt	colourful, gayly coloured, of many colours
Burg (en) f.	castle
Büro (s) n.	office
Bursche (n) m.	lad
Butter f.	butter
Butterbrot (e) n.	bread and butter
Butterreis m.	buttered rice
Café (s) n.	café
Christbaum (¨e) m.	Christmas tree
Couch (en) f.	couch
da	there
da	as, since (subordinating conjunction)
dabei	at the same time, in doing so
dagegen	against it
daher	therefore, for that reason
Dame (n) f.	lady
damit	with it, with them
damit	in order to, so that (subordinating conjunction)
Dampfer (-) m.	steamer
daneben	near, next to it, next to them
dankbar	grateful
danken	to thank
dann	then
darauf	on it, on them

daraus	out of it, from it, out of them, from them	du	thou (you, familiar singular)
darin	in it, in them	Duft (¨e) m.	scent, fragrance
darunter	under it, under them	dumm	stupid, silly
das n.	the	dunkel	dark
das	that	durch (acc.)	through
dass	that, so that (subordinating conjunction)	*dürfen	to be allowed, permitted, may
		Durst m.	thirst
dasselbe n.	the same	durstig	thirsty
dauern	to last (of time)		
Deck (e) n.	deck	ebenso	just as
Deckchen (-) n.	coverlet	echt	genuine, real
Decke (n) f.	blanket, cover, ceiling	Ecke (n) f.	corner
		Ehe (n) f.	marriage
decken	to lay (the table), cover	ehe	before (subordinating conjunction)
dein	your (familiar singular)	Ehepaar (e) n.	married couple
		Ei (er) n.	egg
Delikatessengeschäft (e) n.	delicatessen shop	ein, eine	a
		ein paar	a few
*denken	to think	ein paarmal	a few times
*sich denken	to imagine	einander	one another
denn	for, because	*einbringen (sep.)	to bring in, gather
der m.	the		
derselbe m.	the same	einfach	simple, single
deshalb	therefore	Eingang (¨e) m.	entrance
Deutsch n.	German (language)	einige	a few, some
deutsch	German (adjective)	Einkauf (¨e) m.	purchase
Deutschland n.	Germany	einkaufen (sep.)	to shop
Dezember m.	December	Einkaufstasche (n) f.	shopping bag
dich	you (acc. familiar form)	*einladen (sep.)	to invite
dick	thick, fat	Einladung (en) f.	invitation
die f.	the	*einlassen (sep.)	to let in
Dieb (e) m.	thief	einmal	sometime, once
Diener (-) m.	servant, attendant	einpacken (sep.)	to pack
Dienstag (e) m.	Tuesday	eins	one
dieselbe f.	the same	einsam	lonely
dieser, -e, -s	this	*einschlafen (sep.)	to fall asleep
Ding (e) n.	thing	*einsteigen (sep.)	to get in, board
Diplomat (en) m.	diplomat	*eintreffen (sep.)	to arrive
dir	thee (dat.)	*eintreten (sep.)	to enter
direkt	direct(ly)	Eintrittskarte (n) f.	admission ticket
doch	surely, still, however		
Dom (e) m.	cathedral	Einzelzimmer (-) n.	single room
Donnerstag (e) m.	Thursday	Eis n.	ice, ice-cream
		Eiskaffee m.	iced coffee
Doppelzimmer(-) n.	double room	elegant	elegant
Dorf (¨er) n.	village	elf	eleven
dort	there	Eltern die (plural)	parents
Dose (n) f.	box, tin, can	Empfangsdame (n) f.	receptionist
draussen	outside		
drei	three		
drollig	amusing, droll	*empfehlen	to recommend

Ende (n) f.	end
endlich	at last
Endstation (en)	terminus
England n.	England
Engländer (-) m.	Englishman
Englisch	English language
Enkel (-) m.	grandson
Enkelkind (er) n.	grandchild
Enkelin (nen) f.	grand-daughter
entfernt	distant, far away
entgegengesetzt	opposite
entlang (acc.)	along
entschuldigen	to excuse
sich entschuldigen	to apologize
enttäuschen	to disappoint
entweder . . . oder	either . . . or
er	he
Erdgeschoss (e) n.	ground floor
*erfahren	to come to know, learn
Erfolg (e) m.	success
sich erfrischen	to take refreshment
Erfrischungsraum (¨e) m.	refreshment room
erfüllen	to fulfil
ergänzen	complete, to supplement
*erhalten	to receive
sich erholen	to recover
sich erinnern	to remember
sich erkälten	to catch a cold
Erkältung (en) f.	cold
*erkennen	to recognize
erklären	to explain
erlauben	to allow, permit
erleben	to experience
Ernte (n) f.	harvest
erreichen	to reach, catch (a train)
*erscheinen	to appear
*erschrecken	to be alarmed, frightened
erst	only, not until
erstaunt	astonished
*ertrinken	to drown
erwachen	to wake up
Erwachsene (n) m.	adult
erwarten	to expect, await
erwidern	to reply
erzählen	to tell, relate
Erzieherin (nen) f.	governess
es	it
es ist	there is
es sind	there are
Esel (-) m.	donkey
*essen	to eat
Essen (-) n.	food, meal
Esszimmer (-) n.	dining-room
etwas	some, a little, something, anything
etwas anderes	something different
euch	you (dat. & acc. familiar plural form)
euer	your (familiar plural)
Europa n.	Europe
Express (e) m.	express train
*fahren	to travel
Fahrer (-) m.	driver
Fahrkarte (n) f.	ticket (train)
Fahrkartenschalter (-) m.	booking-office
Fahrplan (¨e) m.	time-table
Fahrrad (¨er) n.	bicycle
Fahrt (en) f.	journey, trip
Fahrzeug (e) n.	vehicle
*fallen	to fall
falsch	wrong
Familie (n) f.	family
Familienkreis (e) m.	family circle
Familienname (n) m.	surname
*fangen	to catch
Farbe (n) f.	colour
fast	almost
faul	lazy
Februar m.	February
feiern	to celebrate
Feiertag (e) m.	public holiday
fein	fine
Feld (er) n.	field
Felsen (-) m.	rock, cliff
Fenster (-) n.	window
Ferien die (plural)	school holidays
fern	far
Fernsehapparat (e) m.	television set
*fernsehen (sep.)	to watch television
Fernsehprogramm (e) n.	television programme
Fernsehturm (¨e) m.	television tower
fertig	ready
fest	hard, firm
festlich	festive
Festung (en) f.	fortress

fett	fat
Feuer (-) n.	fire
Feuerwehr (en) f.	fire brigade
Fieber n.	fever
finanziell	financial
*finden	to find
Firma (Firmen) f.	firm
Fisch (e) m.	fish
Flasche (n) f.	bottle
Fleisch n.	meat, flesh
Fleischer (-) m.	butcher
fleissig	industrious, diligent
*fliegen	to fly
Flug (⁻e) m.	flight
Flughafen (⁻) m.	airport
Flugplatz (⁻e) m.	airport
Flugzeug (e) n.	aircraft
Forelle (n) f.	trout
fortsetzen (sep.)	to continue
Frage (n) f.	question
fragen	to ask
Frankfurter Würstchen (-) n.	Frankfurter sausage
Frankreich n.	France
Franzose (n) m.	Frenchman
französisch	French (adjective)
Frau (en) f.	wife, Mrs., woman
Fräulein (-) n.	miss
frei	free, vacant
Freitag (e) m.	Friday
fremd	strange
*fressen	to eat (of animals only)
freudig	joyful
Freude (n) f.	pleasure, joy
sich freuen	to be pleased
sich freuen auf	to look forward
sich freuen über	to be pleased about
Freund (e) m.	friend
Freundin (nen) f.	girl friend, lady friend
freundlich	friendly
Freundlichkeit (en) f.	kindness, friendliness
frisch	fresh
froh	glad, happy
fröhlich	merry, gay
früh	early
früher	earlier
Frühherbst (e) m.	early autumn
Frühjahr (e) n.	spring
Frühling (e) m.	spring
Frühstück (e) n.	breakfast
frühstücken	to take breakfast
fühlen	to feel
sich fühlen	to feel, feel oneself
führen	to lead, to take (to a place)
Füllhalter (-) m.	fountain pen
fünf	five
für (acc.)	for
furchtbar	terrible
Fuss (⁻e) m.	foot
füttern	to feed (animals only)
Gabe (n) f.	gift
Gabel (n) f.	fork
Gans (⁻e) f.	goose
Gänsebraten (-) m.	roast goose
ganz	whole, quite
gar nichts	nothing at all
Garage (n) f.	garage
Garten (⁻) m.	garden
Gartencafé (s) n.	garden café
Gartenschau (en) f.	gardening exhibition
Gärtner (-) m.	gardener
Gast (⁻e) m.	visitor, guest
Gasthaus (⁻er) n.	inn
Gatte (n) m.	spouse, husband
*geben	to give
gebrauchen	to use, make use of
Geburt (en) f.	birth
Geburtsdatum n.	date of birth
Geburtshaus (⁻er) n.	house where a person was born
Geburtsort (e) m.	place of birth
Geburtstag (e) m.	birthday
Gedicht (e) n.	poem
Geduld f.	patience
gedünstet	steamed, stewed
gefährlich	dangerous
*gefallen (dat.)	to please
Gefühl (e) n.	feeling
gegen (acc.)	against, about, towards
Gegend (en) f.	district
gegenüber (dat.)	opposite
*gehen	to go
gehören (dat.)	to belong to
gehörig	suitable, proper
gehorsam	obedient
Geländer (-) n.	railing
gelb	yellow

Geld n.	money
*gelingen (dat.)	to succeed
gemein	common
Gemüse n.	vegetables
Gemüsesuppe (n) f.	vegetable soup
gemütlich	comfortable, cosy
genau	exact
*geniessen	to enjoy
genug	enough
geöffnet	opened
Gepäck n.	luggage
Gepäckschalter (-) m.	left luggage office
Gepäckschein (e) m.	luggage ticket
Gepäckträger (-) m.	porter
gerade	just
Geschäft (e) n.	business, shop
geschäftlich	on business
Geschäftsfreund (e) m.	business associate
Geschäftsmann (Geschäfts-leute) m.	business man
Geschäftsreise (n) f.	business trip
Geschenk (e) n.	present
Geschichte (n) f.	story
geschlossen	closed
Geschrei n.	shouting, cry
Geschwätz (e) n.	idle talk, babble
Geschwister die (plural)	sisters, brothers, brother and sister, brothers and sisters
Gesicht (er) n.	face
Gespräch (e) n.	conversation
gestern	yesterday
gesund	healthy
Getränk (e) n.	drink, beverage
gewöhnlich	usual(ly)
gewiss	certain(ly)
Gipfel (-) m.	summit
Glas (¨er) n.	glass
gleich	at once, immediately
Glocke (n) f.	bell
Glück n.	luck, happiness
glücklich	happy
golden	gold (made of gold), golden
Gott (¨er) m.	god
Gottesdienst (e) m.	divine service
Grad m.	degree
Grammatik f.	grammar
grau	grey
*greifen	to reach, seize
Grenze (n) f.	border
Grippe (n) f.	influenza
gross	large, big
Grossmutter (¨) f.	grandmother
Grosspapa (s) m.	grandad
Grossvater (¨) m.	grandfather
grün	green
gründlich	thorough(ly)
Gründonnerstag (e) m.	Maundy Thursday
gut	good, well
Haar (e) n.	hair
*haben	to have
Hafen (¨) m.	harbour, port
Halle (n) f.	hall
*halten	to stop, hold
Haltestelle (n) f.	tram, bus stop
Hand (¨e) f.	hand
Handschuh (e) m.	glove
Handtasche (n) f.	handbag
*hängen	to hang
hart	hard
Hauptbahnhof (¨e) m.	central station
Hauptfilm (e) m.	main film
Hauptpost f.	General Post Office
Hauptrolle (n) f.	main part
Haus (¨er) n.	house
nach Hause	going home, moving towards home
zu Hause	at home
Haustür (en) f.	front-door
*heben	to lift
Hecke (n) f.	hedge
heilen	to cure
heilig	holy
Heilige Abend (e) m.	Christmas Eve
Heim (e) n.	home
Heimweg (e) m.	way home
Heinrich m.	Henry
heiraten	to marry
heiss	hot
*helfen	to help
hell	light, bright
Hemd (en) n.	shirt, vest
heraus	out of (towards the speaker)
Herbst (e) m.	autumn
Herbstfarbe (n) f.	autumn colour

herbstlich	autumnal	Ihnen	you (dative formal form)
Herr (en) m.	Mr., gentleman		
herrlich	splendid	ihnen	them (dat.)
*herüberkommen		Ihr	your (formal form)
(sep.)	to come over	ihr	her, their, you (familiar form plural)
*herumgehen			
(sep.)	to walk round	illustriert	illustrated
*herunterheben		immer	always
(sep.)	to take down	noch immer	still
Herz (en) n.	heart	in	in
herzig	charming, sweet	Inhaltsverzeich-	
herzlich	hearty	nis n.	index
heute	to-day	Insasse (n) m.	passenger
heutzutage	nowadays	interessant	interesting
hier	here	sich interessieren	
Himmel m.	sky, heaven	(für)	to be interested (in)
himmlisch	heavenly	international	international
hinaus	out of (away from the speaker)	investieren	to invest
		inzwischen	in the meantime
hinausbegleiten	to accompany out-	Irland n.	Ireland
(sep.)	side, escort outside	ist	is
*hinausgehen		Italien n.	Italy
(sep.)	to go out		
hinein	in, into	ja	yes
hinlegen (sep.)	to lay down, put there	Jahr (e) n.	year
		Jahreszeit (en) f.	season
sich hinlegen		Januar m.	January
(sep.)	to lie down	je	ever
hinter (acc. &		jeder, -e, -s	each, every
dat.)	behind	jedermann	everyone, everybody
hinüber	across	jedoch	however
hinunter	downwards	jemand	somebody, anyone, anybody, someone
Hirt (en) m.	shepherd		
hoch	high	jener, -e, -es	that
Hochdeutsch n.	High German	jetzt	now
Hochstapler (-)		Jugoslawien n.	Jugoslavia
m.	swindler	Juli m.	July
hoffentlich	it is to be hoped	jung	young
holen	to fetch	Junge (n) m.	boy
hören	to hear, listen to	Junggeselle (n)	
Hose (n) f.	trousers (a pair of)	m.	bachelor
Hotel (s) n.	hotel	Juni m.	June
hübsch	pretty		
Hügel (-) m.	hill	Kaffee m.	coffee
Huhn (ꞋꞋer) n.	hen	Kai (e) m.	quay, wharf
Hühnerstall (ꞋꞋe)		Kalb (ꞋꞋer) n.	calf
m.	hen-house	kalt	cold
Hund (e) m.	dog	kälter	colder
Hunger m.	hunger	Kamera (s) f.	camera
hungrig	hungry	Kamerad (en)	
Hut (ꞋꞋe) m.	hat	m.	comrade
		Kamm (ꞋꞋe) m.	comb
ich	I	Kanal (Kanäle)	
Idee (n) f.	idea	m.	canal, channel
ihm	him, it (dat.)	Kapitän (e) m.	captain
ihn	him (acc.)	kaputt	broken

Karfreitag (e) m.	Good Friday
Karotte (n) f.	carrot
Karsamstag (e) m.	Easter Saturday
Karte (n) f.	ticket, card
Kartoffel (n) f.	potato
Karwoche (n) f.	Passion Week
Käse m.	cheese
Kater (-) m.	tom-cat
Katze (n) f.	cat
kaufen	to buy
kaum	hardly, barely
kein. -e	no, not a, not any
Keller (-) m.	cellar
Kellner (-) m.	waiter
*kennen	to know a person, a thing
Kerze (n) f.	candle
Kilo n.	kilo
Kilometer (-) n.	kilometre ($\frac{5}{8}$ of a mile)
Kind (er) n.	child
Kino (s) n.	cinema
Kirche (n) f.	church
Kirschenkompott (e) n.	stewed cherries
klar	clear
Klasse (n) f.	class
klatschen	to clap
Klavier (e) n.	piano
Kleid (er) n.	dress
klein	small, little
klingeln	to ring the bell
klopfen	to knock
Klub (s) m.	club
Knabe (n) m.	boy
knapp	scarce
Knix (e) m.	curtsy
kochen	to cook
Koffer (-) m.	suitcase
Köln n.	Cologne
*kommen	to come
komisch	funny, comical
Konferenz (en) f.	conference
*können	able to, can
Kopf ($\ddot{\text{-}}$e) m.	head
Kopfrechnen n.	mental arithmetic
Kopfsalat m.	lettuce
Kopfschmerz (en) m.	headache
Korn n.	corn, rye
Körper (-) m.	body
Körperverletzung (en) f.	bodily injury
korrespondieren	to correspond
Kost f.	food
kosten	to cost

Kraft ($\ddot{\text{-}}$) f.	strength
krank	ill
Kranke (n) m.	invalid, patient
Krankenhaus ($\ddot{\text{-}}$er) n.	hospital
Krankenwagen (-) m.	ambulance
Krankheit (en) f.	illness
Kreuzung (en) f.	crossing
Krieg (e) m.	war
Küche (n) f.	kitchen
Kuchen (-) m.	cake
Kugelschreiber (-) m.	ballpoint-pen
Kuh ($\ddot{\text{-}}$e) f.	cow
kühl	cool
Kühlschrank ($\ddot{\text{-}}$e) n.	refrigerator
kurz	short
küssen	to kiss
lachen	to laugh
Lachs (e) m.	salmon
Ladentisch (e) m.	shop counter
lahmlegen	to paralyse
Lamm ($\ddot{\text{-}}$er) n.	lamb
landen	to land
Landschaft (en) f.	landscape
Landungsstelle (n) f.	landing place, pier
lang(e)	long, for a long time
langsam	slow
langweilen	to bore
sich langweilen	to be bored
*lassen	to leave
Lastwagen (-) m.	lorry
*laufen	to run
Laufmasche (n) f.	ladder (stocking)
laut	loud
Lautsprecher (-) m.	loudspeaker
leben	to live
Leben (-) n.	life
Lebensmittel die (plural)	provision, food
Lebensmittelgeschäft (e) n.	grocer's shop
Lebensmittelkarte (n) f.	(food) ration card
Lebensretter (-) m.	life-saver
Lederwaren die (plural)	leather goods

Lederwarenab-teilung (en) f.	leathergoods department
leer	empty
legen	to put
lehnen	to lean, rest
Lehnstuhl (⁻e) m.	easy chair
Lehrbuch (⁻er) n.	textbook
lehren	to teach
Lehrer (-) m.	teacher
Lehrerin (nen) f.	lady teacher
leicht	simple, easy, light, slight
leider	unfortunately
lenken	to drive, steer
lernen	to learn
*lesen	to read
Lesestück (e) n.	reading passage
letzter, -e, -es	last
Leuchter (-) m.	candlestick
Leute die (plural)	people
Lichtspielhaus (⁻er) n.	cinema
lieb	dear, beloved, charming, delightful
Liebe f.	love
Lied (er) n.	song
*liegen	to lie
Liegestuhl (⁻e) m.	deckchair
Liegewagen (-) m.	couchette-car
Limonade f.	lemonade
link	left
links	on the left hand, to the left
Liste (n) f.	list
loben	to praise
Locke (n) f.	curl
Löffel (-) m.	spoon
löschen	to extinguish
lösen	to buy a ticket (train)
Luft f.	air
luftkrank	airsick
Lust (⁻e) f.	desire, pleasure
lustig	merry, gay
Lustspiel (e) n.	comedy
machen	to make, to do
Mädchen (-) n.	girl
Mahlzeit (en) f.	meal, mealtime
Mai m.	May
man	one, they, people

manch	some, several
manchmal	sometimes
Mann (⁻er) m.	man
Mantel (⁻) m.	overcoat
Märchen (-) n.	fairy-tale
Mark f.	mark, (DM)
Markt (⁻e) m.	market
Marktfrau (en) f.	market woman
Marmelade f.	jam, marmalade
März m.	March
Mechaniker (-) m.	mechanic
Mehl n.	flour
mehr	more
mehrere	several
mein	my
meinetwegen	for my sake
Meinung (en) f.	opinion
Meldezettel (-) m.	registration form
Melodie (n) f.	melody
Menschenmenge (n) f.	crowd
*messen	to measure
Messer (-) n.	knife
Meter (-) n.	metre
Metzger (-) m.	butcher
mich	me (acc.)
mieten	to rent
Mieter (-) m.	tenant
Milch f.	milk
mild	mild
Million (en) f.	million
Minute (n) f.	minute
mir	me (dat.)
mit (dat.)	with
*mitbringen (sep.)	to bring along with
miteinander	with one another, together
mitführen (sep.)	to carry along (with)
*mitgehen (sep.)	to accompany
*mitkommen (sep.)	to come along with
*mitnehmen (sep.)	to take with one
Mittag (e) m.	noon
Mittagessen (-) n.	lunch
mitteilen (sep.)	to inform
mittelgross	of medium size
Mitternacht (⁻e) f.	midnight
Mitte (n) f.	centre, middle
Mitteleuropa n.	Central Europe
Mittwoch m.	Wednesday

Mode (n) f.	fashion	nass	wet
modern	modern	Natur f.	nature
*mögen	to like, may (possi-bility)	natürlich	of course, naturally
möglich	possible	neben (dat. & acc.)	next to
momentan	at the moment	Nebentisch (e) m.	next table
Monat (e) m.	month	Neffe (n) m.	nephew
Montag m.	Monday	*nehmen	to take
Morgen (-) m.	morning	nein	no
morgen	to-morrow	Nelke (n) f.	carnation
müde	tired	nervös	nervous
Mühle (n) f.	mill	nett	nice, pretty
Müller (-) m.	miller	neu	new
München n	Munich	neugierig	curious, inquisitive
Mund (e) m.	mouth	neun	nine
Museum (Museen) n.	museum	nicht	not
Musik f.	music	gar nicht	not at all
Musikkapelle (n) f.	band	nichts	nothing, anything
*müssen	have to, must	gar nichts	nothing at all
Mutter (¨) f	mother	sonst nichts	nothing else
Mütze (n) f.	cap	Nichte (n) f.	niece
		nie	never
nach	to, after	nie wieder	never again
Nachbar (n) m.	neighbour	niemand	nobody, no one
Nachbarin (nen) f.	neighbour (fem.)	nirgends	nowhere
nachdem	after (subordinating conjunction)	noch	still, yet
		noch ein	another
*nachdenken (sep.)	to think, ponder	noch immer	still
nachher	after, afterwards	nochmal	once again, once more
*nachlassen (sep.)	to give up	Notizblock (¨e) m.	writing pad
Nachmittag (e) m.	afternoon	November m.	November
nachmittags	in the afternoon	null	nil, zero
Nachmittags-kaffee m.	afternoon coffee	Nummer (n) f.	number
*nachschlagen (sep.)	to look up (in a book)	nun	now
		nur	only
*nachsehen (sep.)	to look up, look for	Nuss (¨e) f.	nut
Nachspeise (n) f.	sweet course	ob	whether, if (subor-dinating conjunc-tion)
nächst	next		
Nacht (¨e) f.	night	oben	upstairs
Nachthemd (en) n.	night-gown, night-shirt	ober	upper
		Ober (-) m.	head waiter
Nachtisch (e) m.	dessert	Oberkellner (-) m.	head waiter
nah (e)	near	Oberschule (n) f.	grammar school
nähen	to sew	obgleich	although (subordin-ating conjunction)
Name (n) m.	name		
Narzisse (n) f.	narcissus	Obst n.	fruit
Nase (n) f.	nose	Obsttorte (n) f.	fruit tart
		obwohl	although, though (subordinating conjunction)

Ochsenschwanz-suppe (n) f.	oxtail soup
öde	desolate
oder	or
Ofen (⁻) m.	oven, stove
offenbar	obvious(ly)
öffnen	to open
oft	often
ohne (acc.)	without
Oktober m.	October
Ölsardinen die (plural)	sardines in oil
Oma (s) f.	granny
Omama (s) f.	granny
Omnibus (se) m.	omnibus, coach
Onkel (-) m.	uncle
Oper (n) f.	opera
Opernhaus (⁻er) n.	opera house
Orange (n) f.	orange
Orchester (-) n.	orchestra
Ordnung f.	order
Ostende n.	Ostend
Osterferien die (plural)	Easter holiday
Ostern n.	Easter
Österreich n.	Austria
österreichisch	Austrian
Osteuropa n.	Eastern Europe
osteuropäisch	East European

Paar (e) n.	pair, couple
packen	to pack
Panne (n) f.	breakdown
Park (e) m.	park
Parkett n.	stalls
Passagier (e) m.	passenger
Passagierdampfer (-) m.	passenger steamer
passen	to suit
passieren	to happen
Patenkind (er) n.	godchild
Pause (n) f.	interval, break
Pension (en) f.	boarding-house
Perle (n) f.	pearl
Personenzug (⁻e) m.	slow train
Pfeffer m.	pepper
Pfennig (e) m.	one-hundredth part of a mark
Pferd (e) n.	horse
pflanzen	to plant
pflegen	be accustomed to, used to
pflücken	to pluck, pick
Pforte (n) f.	gate
Pfote (n) f.	paw

Pfund n.	pound
Plan (⁻e) m.	plan
Plattenspieler (-) m.	record-player
Platz (⁻e) m.	seat
Platzanweiserin (nen) f.	usherette
Platzkarte (n) f.	ticket, (reserving a seat)
plaudern	to chat
plötzlich	sudden(ly)
Polen n.	Poland
Politik f.	politics
Polizei f.	police
Polizist (en) m.	policeman, constable
Postkarte (n) f.	postcard
prächtig	magnificent, splendid
Praline (n) f.	chocolate sweet
Preis (e) m.	price
Primel (n) f.	primula
Programm (e) n.	programme
Publikum n.	public
Pullover (-) m.	pullover
Puls (e) m.	pulse
pünktlich	punctual(ly)
Puppe (n) f.	doll
Puppenhaus (⁻er) n.	doll's house.
putzen	to clean
Putzfrau (en) f.	charwoman

Radio (s) n.	radio
Rahmen (-) m.	frame
rasieren	to shave
Rathaus (⁻er) n.	town hall
rationiert	rationed
Rauch m.	smoke
rauchen	to smoke
Raucherabteil (e) n.	smoking compartment
recht	right, quite, properly
rechts	on the right hand, to the right
rechtzeitig	in time
reden	to talk
Regen m.	rain
Regenschirm (e) m.	umbrella
regnen	to rain
reich	rich
reichen	to hand, reach
reif	ripe
Reihe (n) f.	row
Reise (n) f.	journey
Reisebüro (s) n.	travel office
reisen	to travel

Reisende (n) m.	traveller
*reissen	to pull
*reiten	to ride, go on horse-back
*rennen	to run
Reparatur (en) f.	repair
reparieren	to repair
reservieren	to reserve
Restaurant (s) n.	restaurant
retten	to save, rescue
Retter (-) m.	saviour
Rhein der	Rhine
Rheumatismus m.	rheumatism
richtig	correct
Richtung (en) f.	direction
*riechen	to smell
ringsum	all round
rodeln	to toboggan
Roman (e) m.	novel
rosa	pink
Rose (n) f.	rose
Rosenstock (¨e) m.	rose tree
rot	red
Rückfahrkarte(n) f.	return ticket
Rucksack (¨e) m.	rucksack
Ruderboot (e) n.	rowing-boat
*rufen	to call
Ruhe f.	quiet, peace
ruhig	quiet
ruiniert	ruined
Rumänien n.	Rumania
rutschen	to slide, slip
Sache (n) f.	thing, matter
sagen	to say
Sahne f.	cream
Salat m.	lettuce
Salz n.	salt
Salzkartoffeln die (plural)	boiled potatoes
sammeln	to gather, collect
Samstag (e) m.	Saturday
samstags	on Saturdays
Samt m.	velvet
Sand m.	sand
Sauerkraut n.	pickled white cabbage
Schach n.	chess
Schachtel (n) f.	box
Schaf (e) n.	sheep
Schallplatte (n) f.	record
Schalter (-) m.	counter
Schar (en) f.	crowd
Schaufenster (-) n.	shop-window
Schauspieler (-) m.	actor
Schauspielhaus (¨er) n.	theatre
*scheinen	to shine, to appear
schenken	to give a present
schicken	to send
schief	slanting, crooked
Schiff (e) n.	ship, boat
Schildkröten-suppe (n) f.	turtle soup
Schinken m.	ham
gekochter Schinken m.	boiled ham
Schlachtfeld (er) n.	battle-field
Schlafanzug (¨e) m.	pyjamas
schlafen	to sleep
Schlafwagen (-) m.	sleeping-car
Schlafzimmer (-) n.	bedroom
*schlagen	to hit, strike
Schlager (-) m.	hit song
Schlagsahne f.	whipped cream
schlecht	bad
schleudern	to skid
*schliessen	to shut, close
Schlips (e) m.	tie
Schlittschuhbahn (en) f.	skating rink
Schloss (¨er) n.	castle, palace
Schlüssel (-) m.	key
schmecken	to taste
Schmerz (en) m.	pain
schmücken	to decorate, adorn
*schneiden	to cut
Schneider (-) m.	tailor
Schneiderin (nen) f.	dressmaker
schneien	to snow
schnell	quick(ly)
Schnellzug (¨e) m.	express train
schnurren	to purr
schon	already
schön	beautiful
schottisch	Scottish, Scotch
Schreck m.	fright, shock
schrecklich	terrible
*schreiben	to write
Schreibtisch (e) m.	desk, bureau

*schreien	to shout	Sie	you (formal form singular & plural)
Schuh (e) m.	shoe		
Schüler (-) m.	pupil	sie	she, they, her, them
Schulfreund (e) m.	school friend	sieben	seven
		silbern	(of) silver
Schüssel (n) f.	dish, bowl	sind	are
schütten	to pour, pour out	*singen	to sing
Schwaben n.	Swabia	Sirene (n) f.	siren
Schwalbe (n) f.	swallow	*sitzen	to sit
schwanken	to sway	Schikurs (e) m.	ski-course
Schwanz (⁻e) m.	tail	Schilift (e) m.	ski-lift
		so	so
schwarz	black	so dass	so that
Schwarzwald m.	Black Forest	Socke (n) f.	sock
*schweigen	to be silent	sofort	at once, immediately
Schwein (e) n.	pig	sogar	even
Schweinebraten (-) m.	roast pork	sogleich	immediately
		Sohn (⁻e) m.	son
Schweiz f.	Switzerland	solch	such
schwer	difficult, hard, heavy, severe	sollen	to be to, to have to, to be obliged to
Schwester (n) f.	sister	Sommer (-) m.	summer
Schwiegervater (⁻) m.	father-in-law	Sommerferien die (plural)	summer holiday, vacation
Schwierigkeit (en) f.	difficulty	sonderbar	strange
*schwimmen	to swim	sondern	but
Schwimmen n.	swimming	Sonnabend (e) m.	Saturday
Schwimmer (-) m.	swimmer	Sonne f.	sun
sechs	six	sonnig	sunny
See (n) f.	sea	Sonntag (e) m.	Sunday
See (n) m.	lake	sonntags	on Sundays
seekrank	seasick	sonst	otherwise, else
*sehen	to see	sonst nichts	nothing else
sehenswürdig	worth seeing	sparen	to save, economize
Sehenswürdig-keit (en) f.	object of interest plural: sights (of a town)	spärlich	meagre
		spät	late
		Spaten (-) m.	spade
		später	later
sich sehnen (nach)	to long for	spazieren	to stroll
sehr	very	Speise (n) f.	food, meal
*sein	to be, his, its	Speisekarte (n) f.	menu
seit (dat.)	since	speisen	to eat, dine
seitdem	since, since that time	Speisesaal (-säle) m.	dining-hall
Seite (n) f.	side, page	Speisewagen (-) m.	dining-car
selbst	self		
selten	seldom	Speisezimmer (-) n.	dining-room
*senden	to send	Sperre (n) f.	barrier
September m.	September	Spiel (e) n.	play
servieren	to serve	spielen	to play
Sessel (-) m.	armchair	Spielzeug (Spielsachen) n.	toy
sich setzen	to take a seat, sit down		
sicherlich	certainly	Sport m.	sport

Sportwagen (-)		Suppe (n) f.	soup
m.	sports car	süss	sweet
Sprache (n) f.	language		
*sprechen	to speak	Tag (e) m.	day
Sprechstunde		täglich	daily
(n) f.	surgery hour	Tal (⁻er) n.	valley
Springbrunnen(-)		Talent (e) n.	talent
m.	fountain	Tankstelle (n) f.	filling station
*springen	to jump	Tannenbaum	
Spur (en) f.	trace, clue	(⁻e) m.	fir-tree
spüren	to feel	Tante (n) f.	aunt
Staat (en) m.	state	tanzen	to dance
Staatsangehörig-		Tänzerin (nen)	
keit (en) f.	nationality	f.	dancer
Stadt (⁻e) f.	town, city	Tanzmusik f.	dance music
Stadtmitte (n) f.	town centre	Tanzsaal (-säle)	
Stall (⁻e) m.	stable, sty	m.	ball-room
stark	strong	Tasche (n) f.	bag
*stattfinden		Taschengeld n.	pocket-money
(sep.)	to take place	Taschentuch	
*stehen	to stand	(⁻er) n.	handkerchief
*stehenbleiben		Tasse (n) f.	cup
(sep.)	to stop	Taxi (s) n.	taxi
*steigen	to climb	technisch	technical
Stelle (n) f.	place	Tee m.	tea
*sterben	to die	Teil (e) m.	part
sticken	to embroider	teilen	to share, divide
Stimme (n) f.	voice	*teilnehmen	
Stirn (en) f.	forehead	(sep.)	to take part
Stock (⁻e) m.	storey, stick	Telefon (e) n.	telephone
Stoff (e) m.	material (fabric)	Telefonzelle (n)	
stöhnen	to sigh	f.	telephone kiosk
stolpern	to trip over, stumble	Telegramm (e)	
Strand (e) m.	beach	n.	telegram
Strasse (n) f.	street, road	Teller (-) m.	plate
Strassenbahn		Temperatur (en)	
(en) f.	tram	f.	temperature
Strassenrand		Tenniswett-	
(⁻er) m.	kerb	kampf (⁻e) m.	tennis championship
Strecke (n) f.	section	Teppich (e) m.	carpet
Streichholz (⁻er)		Terrasse (n) f.	terrace
n.	match	teuer	dear, expensive
stricken	to knit	Theater (-) n.	theatre
Stroh n.	straw	Theaterbesuch	
Strumpf (⁻e)	stocking	(e) m.	visit to the theatre
Student (en) m.	student	Theaterkasse (n)	
Stück (e) n.	piece, play	f.	ticket office
studieren	to study	Thermometer (-)	
Stuhl (⁻e) m.	chair	n.	thermometer
Stunde (n) f.	hour, lesson	Tier (e) n.	animal
stundenlang	for hours	Tiergarten (⁻)	
stürmisch	stormy, rough (sea),	m.	zoo
	roaring	Tisch (e) m.	table
stürzen	to rush, dash, plunge	Tochter (⁻) f.	daughter
suchen	to look for, search for	tönen	to sound
Süden m.	the south	Tonne (n) f.	ton
südlich	south of	töricht	silly, foolish

Torte (n) f.	gâteau, tart	Universität (en)	
Tragbahre (n) f.	stretcher	f.	university
*tragen	to carry	uns	us, each other, one
Traktor (en) m.	tractor		another
Traum (⁻e) m.	dream	unser	our
*treffen	to meet	unter	lower
sich trennen	to part	unter (dat. &	
Treppe (n) f.	stairs, staircase	acc.)	under
*trinken	to drink	*unterbrechen	to interrupt
Trinkgeld n.	tip	Unterschrift (en)	
trocken	dry	f.	signature
trocknen	to dry	untersuchen	to examine
trotz (gen. &		Untersuchung	
dat.)	in spite of	(en) f.	examination
trotzdem	nevertheless, in spite	unterwegs	on the way
	of	unvorsichtig	careless
Tulpe (n) f.	tulip	Urlaub (e) m.	holiday
*tun	to do		
Tür (en) f.	door	Vase (n) f.	vase
Türkei f.	Turkey	Vater (⁻) m.	father
Turm (⁻e) m.	tower, spire	sich verabschie-	to take leave (of a
		den	person)
über (dat. &		verantwortlich	responsible
acc.)	over	*verbinden	to connect
Überfahrt (en) f.	crossing (river or sea)	*verbleiben	to remain (in a
Überraschung			letter)
(en) f.	surprise	verboten	forbidden
übersetzen	to translate	*verbringen	to spend (time)
überzeugen	to convince	verdienen	to earn
überzeugt	convinced	verdrehen	to twist, distort
Ufer (-) n.	bank, shore	verdreht	distorted, queer,
Uhr (en) f.	watch, clock, o'clock		crazy
Uhrmacher (-)		Verfilmung (en)	
m.	watchmaker	f.	film version
um (acc.)	round	*vergeben	to forgive
Umgebung (en)		*vergehen	to pass, slip away
f.	surroundings	*vergessen	to forget
sich umkleiden		Vergnügen (-)	
(sep.)	to change (dress)	n.	pleasure
*sich umsehen		verheiratet	married
(sep.)	to look round	verkaufen	to sell
umsonst	in vain	Verkäufer (-) m.	shop assistant
*umsteigen (sep.)	to change (train)	Verkäuferin	
unangenehm	unpleasant	(nen) f.	lady shop assistant
unartig	naughty	Verkehr m.	traffic
und	and	Verkehrsampel	
unerwartet	unexpected	(n) f.	traffic light
Unfall (⁻e) m.	accident	Verkehrsamt	
Ungarn n.	Hungary	(⁻er) n.	visitors' advice
ungeduldig	impatient		bureau
ungefähr	approximately,	verkehrt	the wrong way
	about	verkünden	to announce
ungewöhnlich	unusual, rare,	*verlassen	to leave
	strange	verletzt	injured
Unglücksstelle		Verletzte (n) m.	injured person
(n) f.	scene of accident	sich verlieben	to fall in love
		*verlieren	to lose

sich verloben	to become engaged	wählen	to choose
versäumen	to miss	wahr	true
verschieden	different, various	während (gen.)	during
*verschreiben	to prescribe	während	while, whilst (subordinating conjunction)
Versehen (-) n.	error		
*sich versehen	to make a mistake	wahrscheinlich	probably
*versprechen	to promise	Wald (¨er) m.	wood
verstecken	to hide	Walnusstorte (n)	
*verstehen	to understand	f.	walnut cake
versuchen	to try	Wand (¨e) f.	wall
*vertragen	to stand, bear	wann?	when? (of time)
verwahren	to keep, put in a safe place	Warenhaus (¨er) n.	department store
*verzeihen	to forgive	warm	warm
verzerren	to distort, make a grimace	sich wärmen	to warm oneself
		warnen	to warn
verzollen	to declare, pay duty on	Warschau n.	Warsaw
		warten	to wait
verzweifeln	to despair	warten auf (acc.)	to wait for
Vetter (-) m.	cousin (male)	warum?	why?
viel	much	was?	what?
viele	many	*sich waschen	to wash oneself
vielleicht	perhaps	Wasser n.	water
vier	four	wecken	to awake
vierte	fourth	Wecker (-) m.	alarm clock
Villa (Villen) f.	villa	Weckuhr (en) f.	alarm clock
Vogel (¨) m.	bird	weg	away
Volksgarten (¨) m.	public park	wegen (gen.)	because of
voll	full	*weggehen (sep.)	to go away
vollkommen	perfect(ly)	*wegtreiben (sep.)	to chase away
von	from, of	weich	soft
vor	before	Weihnachten n.	Christmas
vor (dat. & acc.)	in front of	Weihnachtsabend (e) m.	Christmas Eve
vorbei	over, past	Weihnachtsbaum (¨e) m.	Christmas-tree
*vorbeikommen (sep.)	to pass, come past	Weihnachtsmann (¨er) m.	Father Christmas
Vorbereitung (en) f.	preparation	Weihnachtsstollen (-) m.	a loaf-shaped Christmas cake
Vorhalle (n) f.	entrance hall		
Vorhang (¨e) m.	curtain	weiden	to graze
Vormittag (e) m.	morning, forenoon	weil	because (subordinating conjunction)
vormittags	in the forenoon	Weile (n) f.	a while, a space of time
Vorname (n) m.	first name, Christian name	Wein (e) m.	wine
vorsichtig	careful	weinen	to weep, cry
sich vorstellen (sep.)	to imagine	Weingarten (¨) m.	vineyard
vorüber	over, past	weiss	white
*vorweisen (sep.)	to show (forth), produce	weit	far
		welcher, -e, -es	which
wachen	to watch, guard	wem?	to whom?
*wachsen	to grow	wen?	whom?
Wagen (-) m.	motor car	wenig	few

ein wenig	a little, a few	*wollen	wish to, want to, will
weniger	minus, less	Wolljacke (n) f.	cardigan
wenigstens	at least	womit?	by what means?
wenn	if, whenever (subordinating conjunction)	wunderbar	wonderful
		sich wundern	to wonder, be surprised
wer?	who?	wunderschön	very beautiful
*werden	to become	wundervoll	wonderful
*werfen	to throw	Wunsch (⸚e) m.	wish
Werkstatt (⸚en) f.	workshop	wünschen	to wish
wessen?	whose?	würde	would
Westeuropa n.	Western Europe	Wurst (⸚e) f.	sausage
Wetter (-) n.	weather	zahlen	to pay
wichtig	important	Zahnarzt (⸚e) m.	dental surgeon
wie	how, like, as	zart	dainty, delicate, tender, soft
wie	as, how (subordinating conjunction)	Zauberflöte f.	Magic Flute
wieder	again	zehn	ten
wiederholen	to repeat	Zeichensprache (n) f.	sign language
Wiederholung (en) f.	revision, repetition	zeigen	to show
*wiederkommen (sep.)	to come back, return	Zeit f.	time
		zur Zeit	at the moment
Wiedersehen (-) n.	meeting (again)	Zeitung (en) f.	newspaper
Wien n.	Vienna	*zerbrechen	to break, smash
Wiese (n) f.	meadow	zerkratzen	to scratch
wieviel?	how much?	Zeug n.	stuff
wie viele?	how many?	Zeuge (n) m.	witness
Wind (e) m.	wind	Ziege (n) f.	goat
Winter (-) m.	winter	Ziel (e) n.	destination
Wintersportler (-) m.	winter sport enthusiast	ziemlich	rather
		Zigarette (n) f.	cigarette
winzig	tiny	Zigarettenstummel (-) m.	cigarette-end
wir	we		
wirklich	really	Zigarre (n) f.	cigar
Wirtshaus (⸚er) n.	inn, public house	Zimmer (-) n.	room
		Zimmervorbestellung (en) f.	room reservation
*wissen	to know a fact		
Witz (e) m.	joke	Zollbeamte (n) m.	customs official
wo?	where?	Zollhalle (n) f.	customs-hall
Woche (n) f.	week	Zollkontrolle (n) f.	customs-inspection
Wochenende (n) n.	week-end		
Wochenschau (en) f.	newsreel	zu	to
		zu viel	too much
wochentags	on weekdays	Zucker m.	sugar
wohin?	whither? where to?	zuerst	at first
wohnen	to live	Zufall (⸚e) m.	coincidence
Wohnung (en) f.	flat	zufrieden	content, satisfied, pleased
Wohnzimmer (-) n.	living-room		
Wolke (n) f.	cloud	Zug (⸚e) m.	train
Wolle f.	wool	D-Zug m.	express train
wollen	woollen	zuhören (sep.)	to listen (to)
		zuletzt	finally, at last

Zunge (n) f.	tongue	Zuschauer (-) m.	spectator
zurück	back	Zuschauerraum	
*zurückfahren		(¨e) m.	auditorium
(sep.)	return, drive back	Zuschlag (¨e)	
zurückkehren		m.	additional charge
(sep.)	to return	Zuschlagskarte	
zurücklegen		(n) f.	additional ticket
(sep.)	to cover a distance	*zusehen (sep.)	to watch
*zurückziehen		zwei	two
(sep.)	to pull back	zwischen (dat. &	
zusammen	together	acc.)	between
*zusammen-		zwölf	twelve
stossen (sep.)	to collide		